Premium VOCA

영어중심

예비고
필수 어휘

001	
onto	~위로

002	
beneath	~아래에

003	
up to	~까지

004	
regarding	~에 대하여

005	
of	~의

006	
into	~안으로

007	
among	~사이에

015		
outside		~밖에

016		
against		~에 기대어

017		
underneath		~아래에

018		
in spite of		~에도 불구하고

019		
below		~아래에

020		
plus		~뿐만 아니라

021		
with		~와 함께

022	as	~로서

023	during	~동안에

024	across	~을 가로질러

025	since	~이후로

026	at	~에

027	alongside	~을 따라서

028	behind	~뒤에

029	
along	~을 따라서

030	
including	~을 포함하여

031	
throughout	~하는 내내

032	
excluding	~을 제외하고

033	
amid	~의 가운데에

034	
within	~이내에

035	
minus	~을 제외하고

Review Test

☑ 다음 영단어의 뜻을 우리말로 쓰시오.

01 along		19 during	
02 as		20 within	
03 since		21 excluding	
04 by		22 including	
05 outside		23 regarding	
06 amid		24 beneath	
07 among		25 up to	
08 into		26 above	
09 minus		27 in spite of	
10 throughout		28 with	
11 depeding on		29 underneath	
12 across		30 against	
13 until		31 of	
14 considering		32 at	
15 on		33 onto	
16 below		34 plus	
17 alongside		35 behind	
18 upon			

정답

01 ~을 따라서	10 ~하는 내내	19 ~동안에	28 ~와 함께
02 ~로서	11 ~에 따라서	20 ~이내에	29 ~아래에
03 ~이후로	12 ~을 가로질러	21 ~을 제외하고	30 ~에 기대어
04 ~에 의하여	13 ~까지	22 ~을 포함하여	31 ~의
05 ~밖에	14 ~을 고려하면	23 ~에 대하여	32 ~에
06 ~의 가운데에	15 ~위에	24 ~아래에	33 ~위로
07 ~사이에	16 ~아래에	25 ~까지	34 ~뿐만 아니라
08 ~안으로	17 ~을 따라서	26 ~위에	35 ~뒤에
09 ~을 제외하고	18 ~위에	27 ~에도 불구하고	

Review Test

☑ 다음 영단어의 뜻을 우리말로 쓰시오.

01 of		19 along	
02 behind		20 into	
03 regarding		21 minus	
04 since		22 among	
05 until		23 underneath	
06 upon		24 across	
07 within		25 against	
08 in spite of		26 onto	
09 considering		27 alongside	
10 below		28 up to	
11 during		29 outside	
12 with		30 above	
13 beneath		31 by	
14 at		32 excluding	
15 depeding on		33 throughout	
16 on		34 plus	
17 as		35 including	
18 amid			

Review Test

☑️ 다음 영단어의 뜻을 우리말로 쓰시오.

01 during		19 throughout	
02 along		20 depeding on	
03 within		21 excluding	
04 of		22 beneath	
05 since		23 minus	
06 as		24 regarding	
07 including		25 until	
08 into		26 in spite of	
09 at		27 up to	
10 upon		28 considering	
11 above		29 amid	
12 across		30 with	
13 on		31 alongside	
14 underneath		32 against	
15 outside		33 onto	
16 plus		34 by	
17 behind		35 among	
18 below			

정답

01 ~동안에	10 ~위에	19 ~하는 내내	28 ~을 고려하면
02 ~을 따라서	11 ~위에	20 ~에 따라서	29 ~의 가운데에
03 ~이내에	12 ~을 가로질러	21 ~을 제외하고	30 ~와 함께
04 ~의	13 ~위에	22 ~아래에	31 ~을 따라서
05 ~이후로	14 ~아래에	23 ~을 제외하고	32 ~에 기대어
06 ~로서	15 ~밖에	24 ~에 대하여	33 ~위로
07 ~을 포함하여	16 ~뿐만 아니라	25 ~까지	34 ~에 의하여
08 ~안으로	17 ~뒤에	26 ~에도 불구하고	35 ~사이에
09 ~에	18 ~아래에	27 ~까지	

036	
next to	~옆에

037	
out of	~밖으로

038	
about	~에 대하여

039	
following	~후에

040	
from	~로부터

041	
as to	~에 대하여

042	
excepting	~을 제외하고

043	between	~사이에

044	beyond	~을 넘어서

045	per	~마다

046	in front of	~앞에

047	near	~가까이에

048	versus	~대

049	like	~처럼

050		
in		~안에

051		
except		~을 제외하고

052		
under		~아래에

053		
via		~을 통하여

054		
for		~을 위하여

055		
off		~을 벗어나

056		
toward		~쪽으로

057		
beside		~옆에

058		
to		~로

059		
save		~을 제외하고

060		
over		~위로

061		
inside		~안에

062		
towards		~쪽으로

063		
concerning		~에 대하여

064	
after	~후에

065	
without	~없이

066	
through	~을 통하여

067	
besides	~이외에도

068	
around	~주변에

069	
before	~앞에

070	
despite	~에도 불구하고

Review Test

☑ 다음 영단어의 뜻을 우리말로 쓰시오.

01 about		19 beyond	
02 as to		20 excepting	
03 in		21 next to	
04 between		22 per	
05 from		23 towards	
06 save		24 beside	
07 after		25 out of	
08 over		26 for	
09 despite		27 versus	
10 near		28 like	
11 except		29 inside	
12 through		30 before	
13 following		31 under	
14 to		32 in front of	
15 via		33 besides	
16 around		34 concerning	
17 without		35 toward	
18 off			

정답
01 ~에 대하여	10 ~가까이에	19 ~을 넘어서	28 ~처럼
02 ~에 대하여	11 ~을 제외하고	20 ~을 제외하고	29 ~안에
03 ~안에	12 ~을 통하여	21 ~옆에	30 ~앞에
04 ~사이에	13 ~후에	22 ~마다	31 ~아래에
05 ~로부터	14 ~로	23 ~쪽으로	32 ~앞에
06 ~을 제외하고	15 ~을 통하여	24 ~옆에	33 ~이외에도
07 ~후에	16 ~주변에	25 ~밖으로	34 ~에 대하여
08 ~위로	17 ~없이	26 ~을 위하여	35 ~쪽으로
09 ~에도 불구하고	18 ~을 벗어나	27 ~대	

Review Test

☑ 다음 영단어의 뜻을 우리말로 쓰시오.

01 after		19 to	
02 beside		20 before	
03 over		21 besides	
04 like		22 without	
05 in		23 following	
06 around		24 out of	
07 excepting		25 about	
08 as to		26 between	
09 despite		27 via	
10 through		28 toward	
11 near		29 under	
12 save		30 except	
13 beyond		31 from	
14 in front of		32 inside	
15 versus		33 next to	
16 for		34 off	
17 towards		35 concerning	
18 per			

정답
01 ~후에	10 ~을 통하여	19 ~로	28 ~쪽으로
02 ~옆에	11 ~가까이에	20 ~앞에	29 ~아래에
03 ~위로	12 ~을 제외하고	21 ~이외에도	30 ~을 제외하고
04 ~처럼	13 ~을 넘어서	22 ~없이	31 ~로부터
05 ~안에	14 ~앞에	23 ~후에	32 ~안에
06 ~주변에	15 ~대	24 ~밖으로	33 ~옆에
07 ~을 제외하고	16 ~을 위하여	25 ~에 대하여	34 ~을 벗어나
08 ~에 대하여	17 ~쪽으로	26 ~사이에	35 ~에 대하여
09 ~에도 불구하고	18 ~마다	27 ~을 통하여	

16

Review Test

☑️ 다음 영단어의 뜻을 우리말로 쓰시오.

01 from		19 after
02 concerning		20 as to
03 following		21 despite
04 over		22 excepting
05 beyond		23 under
06 per		24 save
07 before		25 except
08 via		26 next to
09 in front of		27 towards
10 for		28 about
11 to		29 in
12 toward		30 between
13 out of		31 like
14 inside		32 besides
15 near		33 through
16 versus		34 off
17 beside		35 without
18 around		

정답
01 ~로부터	10 ~을 위하여	19 ~후에	28 ~에 대하여
02 ~에 대하여	11 ~로	20 ~에 대하여	29 ~안에
03 ~후에	12 ~쪽으로	21 ~에도 불구하고	30 ~사이에
04 ~위로	13 ~밖으로	22 ~을 제외하고	31 ~처럼
05 ~을 넘어서	14 ~안에	23 ~아래에	32 ~이외에도
06 ~마다	15 ~가까이에	24 ~을 제외하고	33 ~을 통하여
07 ~앞에	16 ~대	25 ~을 제외하고	34 ~을 벗어나
08 ~을 통하여	17 ~옆에	26 ~옆에	35 ~없이
09 ~앞에	18 ~주변에	27 ~쪽으로	

071	as soon as	~하자마자
072	so that	~하도록
073	whereas	~인 반면에
074	where	~한 곳에서
075	every time	~할 때마다
076	though	비록 ~일지라도
077	as if	마치 ~처럼

078	if	~한다면

079	whenever	~할 때마다

080	because	~때문에

081	provided (that)	~한다면

082	as far as	~하는 한

083	by the time	~할 때쯤

084	only when	오로지 ~할 때만

085	
supposing (that)	~한다면

086	
while	~동안에

087	
just as	꼭 ~처럼

088	
although	비록 ~일지라도

089	
as	~할 때

090	
as long as	~하는 한

091	
now that	~때문에

092	
unless	~하지 않는다면

093	
even though	비록 ~일지라도

094	
since	~때문에

095	
even if	비록 ~일지라도

096	
after	~후에

097	
like	~처럼

098	
as though	마치 ~처럼

099	
providing (that)	~한다면

100	
till	~할 때까지

101	
whether	~든지 아니든지

102	
before	~전에

103	
until	~할 때까지

104	
for	왜냐하면

105	
only if	오로지 ~하는 경우에만

Review Test

☑ 다음 영단어의 뜻을 우리말로 쓰시오.

01 whereas		19 whenever	
02 though		20 as if	
03 supposing (that)		21 as soon as	
04 if		22 because	
05 every time		23 like	
06 since		24 unless	
07 providing (that)		25 so that	
08 even if		26 as	
09 only if		27 by the time	
10 as far as		28 only when	
11 while		29 after	
12 whether		30 for	
13 where		31 just as	
14 even though		32 provided (that)	
15 although		33 before	
16 until		34 as though	
17 till		35 now that	
18 as long as			

정답

01 ~인 반면에	10 ~하는 한	19 ~할 때마다	28 오로지 ~할 때만
02 비록 ~일지라도	11 ~동안에	20 마치 ~처럼	29 ~후에
03 ~한다면	12 ~든지 아니든지	21 ~하자마자	30 왜냐하면
04 ~한다면	13 ~한 곳에서	22 ~때문에	31 꼭 ~처럼
05 ~할 때마다	14 비록 ~일지라도	23 ~처럼	32 ~한다면
06 ~때문에	15 비록 ~일지라도	24 ~하지 않는다면	33 ~전에
07 ~한다면	16 ~할 때까지	25 ~하도록	34 마치 ~처럼
08 ~비록 ~일지라도	17 ~할 때까지	26 ~할 때	35 ~때문에
09 오로지 ~하는 경우에만	18 ~하는 한	27 ~할 때쯤	

Review Test

☑ 다음 영단어의 뜻을 우리말로 쓰시오.

01 before		19 whenever	
02 by the time		20 after	
03 provided (that)		21 though	
04 now that		22 as if	
05 only when		23 as	
06 just as		24 since	
07 if		25 whereas	
08 even though		26 as long as	
09 supposing (that)		27 because	
10 as though		28 while	
11 until		29 whether	
12 unless		30 even if	
13 providing (that)		31 only if	
14 although		32 where	
15 as soon as		33 for	
16 like		34 so that	
17 every time		35 till	
18 as far as			

Review Test

☑ 다음 영단어의 뜻을 우리말로 쓰시오.

01 as long as		19 whether	
02 although		20 while	
03 providing (that)		21 until	
04 because		22 as far as	
05 as soon as		23 supposing (that)	
06 even if		24 only when	
07 for		25 as though	
08 though		26 like	
09 unless		27 so that	
10 if		28 now that	
11 just as		29 as if	
12 whereas		30 only if	
13 after		31 even though	
14 before		32 as	
15 where		33 every time	
16 since		34 till	
17 provided (that)		35 by the time	
18 whenever			

정답

01 ~하는 한	10 ~한다면	19 ~든지 아니든지	28 ~때문에
02 비록 ~일지라도	11 꼭 ~처럼	20 ~동안에	29 마치 ~처럼
03 ~한다면	12 ~인 반면에	21 ~할 때까지	30 오로지 ~하는 경우에만
04 ~때문에	13 ~후에	22 ~하는 한	31 비록 ~일지라도
05 ~하자마자	14 ~전에	23 ~한다면	32 ~할 때
06 비록 ~일지라도	15 ~한 곳에서	24 오로지 ~할 때만	33 ~할 때마다
07 왜냐하면	16 ~때문에	25 마치 ~처럼	34 ~할 때까지
08 비록 ~일지라도	17 ~한다면	26 ~처럼	35 ~할 때쯤
09 ~하지 않는다면	18 ~할 때마다	27 ~하도록	

106	therefore	따라서

107	at the same time	동시에

108	in the first step	무엇보다도

109	so to speak	즉

110	Let's say	예를 들면

111	that is	즉

112	in brief	요약하면

113	on the one hand	한편으로는
114	to illustrate	예를 들면
115	in consequence	결국
116	meanwhile	그러는 동안에
117	ultimately	결국
118	for example	예를 들면
119	as a result	결과적으로

120	to sum up	요약하면
121	otherwise	그렇지 않으면
122	in addition	게다가
123	similarly	마찬가지로
124	subsequently	그 후에
125	in conclusion	결국
126	likewise	마찬가지로

127	nonetheless	그럼에도 불구하고
128	on the other hand	반면에
129	in the mean time	그러는 동안에
130	eventually	결국
131	yet	그러나
132	say	예를 들면
133	to begin with	무엇보다도

134	
furthermore	게다가

135	
for instance	예를 들면

136	
in the end	결국

137	
for one thing	무엇보다도

138	
actually	사실상

139	
in summary	요약하면

140	
additionally	게다가

Review Test

☑ 다음 영단어의 뜻을 우리말로 쓰시오.

01 Let's say ....
02 on the one hand ....
03 so to speak ....
04 for instance ....
05 in the mean time ....
06 eventually ....
07 as a result ....
08 on the other hand ....
09 for one thing ....
10 actually ....
11 nonetheless ....
12 in consequence ....
13 otherwise ....
14 in the end ....
15 for example ....
16 in addition ....
17 say ....
18 similarly ....

19 that is ....
20 additionally ....
21 to sum up ....
22 in the first step ....
23 therefore ....
24 in brief ....
25 likewise ....
26 subsequently ....
27 meanwhile ....
28 at the same time ....
29 to begin with ....
30 to illustrate ....
31 in summary ....
32 ultimately ....
33 furthermore ....
34 in conclusion ....
35 yet ....

정답

01 예를 들면	10 사실상	19 즉	28 동시에
02 한편으로는	11 그럼에도 불구하고	20 게다가	29 무엇보다도
03 즉	12 결국	21 요약하면	30 예를 들면
04 예를 들면	13 그렇지 않으면	22 무엇보다도	31 요약하면
05 그러는 동안에	14 결국	23 따라서	32 결국
06 결국	15 예를 들면	24 요약하면	33 게다가
07 결과적으로	16 게다가	25 마찬가지로	34 결국
08 반면에	17 예를 들면	26 그 후에	35 그러나
09 무엇보다도	18 마찬가지로	27 그러는 동안에	

Review Test

☑ 다음 영단어의 뜻을 우리말로 쓰시오.

01 to illustrate		19 nonetheless	
02 otherwise		20 for example	
03 similarly		21 in the first step	
04 as a result		22 meanwhile	
05 on the other hand		23 that is	
06 in consequence		24 eventually	
07 in the mean time		25 on the one hand	
08 yet		26 in conclusion	
09 for instance		27 additionally	
10 in brief		28 at the same time	
11 for one thing		29 say	
12 to sum up		30 in the end	
13 in summary		31 subsequently	
14 actually		32 in addition	
15 to begin with		33 furthermore	
16 likewise		34 ultimately	
17 Let's say		35 so to speak	
18 therefore			

정답

01 예를 들면	10 요약하면	19 그럼에도 불구하고	28 동시에
02 그렇지 않으면	11 무엇보다도	20 예를 들면	29 예를 들면
03 마찬가지로	12 요약하면	21 무엇보다도	30 결국
04 결과적으로	13 요약하면	22 그러는 동안에	31 그 후에
05 반면에	14 사실상	23 즉	32 게다가
06 결국	15 무엇보다도	24 결국	33 게다가
07 그러는 동안에	16 마찬가지로	25 한편으로는	34 결국
08 그러나	17 예를 들면	26 결국	35 즉
09 예를 들면	18 따라서	27 게다가	

Review Test

☑ 다음 영단어의 뜻을 우리말로 쓰시오.

01 likewise	19 for one thing
02 in addition	20 to sum up
03 in brief	21 furthermore
04 as a result	22 meanwhile
05 to begin with	23 in the mean time
06 additionally	24 for instance
07 on the other hand	25 for example
08 so to speak	26 actually
09 therefore	27 Let's say
10 in conclusion	28 eventually
11 in summary	29 nonetheless
12 subsequently	30 that is
13 yet	31 at the same time
14 in consequence	32 otherwise
15 to illustrate	33 in the first step
16 in the end	34 similarly
17 on the one hand	35 ultimately
18 say	

정답
01 마찬가지로	10 결국	19 무엇보다도	28 결국
02 게다가	11 요약하면	20 요약하면	29 그럼에도 불구하고
03 요약하면	12 그 후에	21 게다가	30 즉
04 결과적으로	13 그러나	22 그러는 동안에	31 동시에
05 무엇보다도	14 결국	23 그러는 동안에	32 그렇지 않으면
06 게다가	15 예를 들면	24 예를 들면	33 무엇보다도
07 반면에	16 결국	25 예를 들면	34 마찬가지로
08 즉	17 한편으로는	26 사실상	35 결국
09 따라서	18 예를 들면	27 예를 들면	

141	
however	그러나

142	
as a matter of fact	사실상

143	
contrastingly	대조적으로

144	
hence	따라서

145	
though	그러나

146	
finally	결국

147	
namely	즉

148	
in the same way	마찬가지로

149	
thus	따라서

150	
above all	무엇보다도

151	
accordingly	따라서

152	
in other words	즉

153	
simultaneously	동시에

154	
in the long run	결국

155		
in fact		사실상

156		
conversely		역으로

157		
moreover		게다가

158		
in short		요약하면

159		
first of all		무엇보다도

160		
still		그러나

161		
besides		게다가

162		
to start with		무엇보다도

163		
nevertheless		그럼에도 불구하고

164		
consequently		결국

165		
in the first place		무엇보다도

166		
in contrast		대조적으로

167		
at last		결국

168		
in reality		사실상

169 what is more	게다가
170 on the contrary	대조적으로
171 afterwards	그 후에
172 specifically	구체적으로
173 by the same token	마찬가지로
174 as a rule	일반적으로
175 in essence	본질적으로

Review Test

☑ 다음 영단어의 뜻을 우리말로 쓰시오.

01 nevertheless		19 afterwards	
02 what is more		20 in other words	
03 as a rule		21 specifically	
04 though		22 as a matter of fact	
05 in the first place		23 in essence	
06 to start with		24 hence	
07 on the contrary		25 thus	
08 finally		26 in short	
09 in contrast		27 contrastingly	
10 above all		28 accordingly	
11 in the same way		29 by the same token	
12 consequently		30 besides	
13 simultaneously		31 at last	
14 moreover		32 conversely	
15 in fact		33 however	
16 still		34 in the long run	
17 in reality		35 namely	
18 first of all			

정답

01 그럼에도 불구하고	10 무엇보다도	19 그 후에	28 따라서
02 게다가	11 마찬가지로	20 즉	29 마찬가지로
03 일반적으로	12 결국	21 구체적으로	30 게다가
04 그러나	13 동시에	22 사실상	31 결국
05 무엇보다도	14 게다가	23 본질적으로	32 역으로
06 무엇보다도	15 사실상	24 따라서	33 그러나
07 대조적으로	16 그러나	25 따라서	34 결국
08 결국	17 사실상	26 요약하면	35 즉
09 대조적으로	18 무엇보다도	27 대조적으로	

Review Test

☑ 다음 영단어의 뜻을 우리말로 쓰시오.

01 contrastingly	19 thus
02 finally	20 namely
03 in fact	21 however
04 in the same way	22 above all
05 though	23 at last
06 consequently	24 to start with
07 what is more	25 as a matter of fact
08 in the first place	26 first of all
09 in essence	27 simultaneously
10 in other words	28 in the long run
11 conversely	29 in contrast
12 afterwards	30 as a rule
13 hence	31 moreover
14 nevertheless	32 accordingly
15 in short	33 specifically
16 by the same token	34 in reality
17 on the contrary	35 besides
18 still	

정답

01 대조적으로	10 즉	19 따라서	28 결국
02 결국	11 역으로	20 즉	29 대조적으로
03 사실상	12 그 후에	21 그러나	30 일반적으로
04 마찬가지로	13 따라서	22 무엇보다도	31 게다가
05 그러나	14 그럼에도 불구하고	23 결국	32 따라서
06 결국	15 요약하면	24 무엇보다도	33 구체적으로
07 게다가	16 마찬가지로	25 사실상	34 사실상
08 무엇보다도	17 대조적으로	26 무엇보다도	35 게다가
09 본질적으로	18 그러나	27 동시에	

Review Test

☑ 다음 영단어의 뜻을 우리말로 쓰시오.

01 specifically		19 thus	
02 simultaneously		20 in contrast	
03 accordingly		21 finally	
04 besides		22 namely	
05 in the long run		23 first of all	
06 moreover		24 consequently	
07 in the same way		25 contrastingly	
08 nevertheless		26 still	
09 in fact		27 above all	
10 in reality		28 conversely	
11 by the same token		29 afterwards	
12 to start with		30 in the first place	
13 what is more		31 in essence	
14 in short		32 hence	
15 however		33 as a rule	
16 at last		34 as a matter of fact	
17 though		35 on the contrary	
18 in other words			

정답

01 구체적으로	10 사실상	19 따라서	28 역으로
02 동시에	11 마찬가지로	20 대조적으로	29 그 후에
03 따라서	12 무엇보다도	21 결국	30 무엇보다도
04 게다가	13 게다가	22 즉	31 본질적으로
05 결국	14 요약하면	23 무엇보다도	32 따라서
06 게다가	15 그러나	24 결국	33 일반적으로
07 마찬가지로	16 결국	25 대조적으로	34 사실상
08 그럼에도 불구하고	17 그러나	26 그러나	35 대조적으로
09 사실상	18 즉	27 무엇보다도	

176 | en-
enlarge (확대하다)

동사 "~하게 하다"

---

177 | pseudo-
pseudoscience (사이비 과학)

"가짜의"

---

178 | il-
illegal (불법의)

반대말

---

179 | -er
teacher (선생님)

명사 "~하는 사람"

---

180 | dis-
disagree (동의하지 않다)

반대말

---

181 | -ent
excellent (훌륭한)

형용사

---

182 | -en
broaden (넓히다)

동사 "~하게 하다"

---

183 **-ence** conference (회의)	명사
184 **co-** co-worker (동료)	"함께"
185 **-ible** receptible (받을 수 있는)	형용사 "~할 수 있는"
186 **-al** approval (인정)	명사
187 **-ary** elementary (기본적인)	형용사
188 **im-** impossible (불가능한)	반대말
189 **-or** inventor (발명가)	명사 "~하는 사람"

190 **-y** worthy (훌륭한)	형용사
191 **-sion** confession (자백)	명사
192 **extra-** extraordinary (대단한)	반대말
193 **-ship** hardship (역경)	명사
194 **-al** natural (자연의)	형용사
195 **-ity** utility (유용성)	명사
196 **mis-** misunderstand (오해하다)	반대말

197 -ic basic (기초적인)	형용사
198 mono- monologue (독백)	"단일의"
199 -ment movement (움직임)	명사
200 -ous famous (유명한)	형용사
201 un- unable (할 수 없는)	반대말
202 -ive attractive (매력적인)	형용사
203 anti- antivirus (바이러스 퇴치용인)	"반대의"

Review Test ───────────────────

☑ 다음 영단어의 뜻 또는 기능을 쓰시오.

01 dis- _____   15 -ent _____

02 -ence _____   16 -y _____

03 -er _____   17 il- _____

04 -ment _____   18 en- _____

05 -ous _____   19 -en _____

06 -or _____   20 mis- _____

07 mono- _____   21 -al _____

08 -ic _____   22 un- _____

09 -ible _____   23 pseudo- _____

10 -sion _____   24 anti- _____

11 im- _____   25 co- _____

12 extra- _____   26 -ary _____

13 -ive _____   27 -ity _____

14 -ship _____   28 -al _____

정답 | 01 반대말   10 명사   19 동사 "~하게 하다"   28 명사
       02 명사   11 반대말   20 반대말
       03 명사 "~하는 사람" 12 반대말   21 형용사
       04 명사   13 형용사   22 반대말
       05 형용사   14 명사   23 "가짜의"
       06 명사 "~하는 사람" 15 형용사   24 "반대의"
       07 "단일의"   16 형용사   25 "함께"
       08 형용사   17 반대말   26 형용사
       09 형용사 "~할 수 있는" 18 동사 "~하게 하다"   27 명사

Review Test

☑️ 다음 영단어의 뜻 또는 기능을 쓰시오.

01 -ity _____   15 co- _____

02 -ship _____   16 -sion _____

03 -ible _____   17 -ary _____

04 en- _____   18 -y _____

05 -ous _____   19 -or _____

06 -ent _____   20 anti- _____

07 -ic _____   21 -ive _____

08 -ence _____   22 pseudo- _____

09 extra- _____   23 mis- _____

10 il- _____   24 -en _____

11 un- _____   25 mono- _____

12 -er _____   26 -al _____

13 -ment _____   27 dis- _____

14 -al _____   28 im- _____

정답	01 명사	10 반대말	19 명사 "~하는 사람"	28 반대말
	02 명사	11 반대말	20 "반대의"	
	03 형용사 "~할 수 있는"	12 명사 "~하는 사람"	21 형용사	
	04 동사 "~하게 하다"	13 명사	22 "가짜의"	
	05 형용사	14 명사	23 반대말	
	06 형용사	15 "함께"	24 동사 "~하게 하다"	
	07 형용사	16 명사	25 "단일의"	
	08 명사	17 형용사	26 형용사	
	09 반대말	18 형용사	27 반대말	

204	**-able** reliable (믿을 수 있는)	형용사 "~할 수 있는"

205	**semi-** semi-final (준결승)	"반,준"

206	**-ent** resident (거주자)	명사 " ~하는 사람"

207	**-ical** typical (전형적인)	형용사

208	**non-** nonsense (터무니없는 생각)	반대말

209	**-ness** kindness (친절)	명사

210	**inter-** international (국제적인)	"~사이에"

211 **-ance** appearance (외모)	명사
212 **ir-** irregular (불규칙적인)	반대말
213 **-ty** safety (안전)	명사
214 **re-** regain (되찾다)	"다시"
215 **-ant** assistant (조수)	명사 "~하는 사람"
216 **ab-** abnormal (비정상적인)	반대말
217 **-ish** foolish (어리석은)	형용사

218	**pre-**	"~전에"
	preview (시사회)	

219	**-tion**	명사
	education (교육)	

220	**in-**	반대말
	incorrect (옳지 않은)	

221	**-less**	형용사 "~이 없는"
	useless (쓸모없는)	

222	**-th**	명사
	growth (성장)	

223	**-ful**	형용사
	careful (주의깊은)	

224	**-ize**	동사 "~화하다"
	generalize (일반화하다)	

225 **-ee** employee (직원)	명사 "~받는 사람"
226 **-ant** ignorant (무지한)	형용사
227 **-ism** socialism (사회주의)	명사 "~주의"
228 **-ly** slowly (천천히)	부사
229 **post-** postwar (전쟁 후의)	"~후에"
230 **-ist** specialist (전문가)	명사 "~하는 사람"
231 **-fy** justify (정당화하다)	동사 "~화하다"

Review Test

☑️ 다음 영단어의 뜻 또는 기능을 쓰시오.

01 ir-		15 -ee	
02 -tion		16 ab-	
03 -less		17 -ent	
04 -ish		18 re-	
05 -ant		19 -ness	
06 -ty		20 -ly	
07 -ism		21 -ance	
08 post-		22 -ful	
09 inter-		23 semi-	
10 pre-		24 -ist	
11 -fy		25 -th	
12 -ize		26 in-	
13 non-		27 -ant	
14 -able		28 -ical	

정답
01 반대말
02 명사
03 형용사 "~이 없는"
04 형용사
05 형용사
06 명사
07 명사 "~주의"
08 "~후에"
09 "~사이에"
10 "~전에"
11 동사 "~화하다"
12 동사 "~화하다"
13 반대말
14 형용사 "~할 수 있는"
15 명사 "~받는 사람"
16 반대말
17 명사 "~하는 사람"
18 "다시"
19 명사
20 부사
21 명사
22 형용사
23 "반,준"
24 명사 "~하는 사람"
25 명사
26 반대말
27 명사 "~하는 사람"
28 형용사

Review Test

☑️ 다음 영단어의 뜻 또는 기능을 쓰시오.

01 -ize ⎯⎯⎯⎯⎯

02 in- ⎯⎯⎯⎯⎯

03 inter- ⎯⎯⎯⎯⎯

04 -ish ⎯⎯⎯⎯⎯

05 -fy ⎯⎯⎯⎯⎯

06 -ant ⎯⎯⎯⎯⎯

07 -ical ⎯⎯⎯⎯⎯

08 -able ⎯⎯⎯⎯⎯

09 -ful ⎯⎯⎯⎯⎯

10 -th ⎯⎯⎯⎯⎯

11 post- ⎯⎯⎯⎯⎯

12 -ty ⎯⎯⎯⎯⎯

13 ir- ⎯⎯⎯⎯⎯

14 -ance ⎯⎯⎯⎯⎯

15 -ist ⎯⎯⎯⎯⎯

16 pre- ⎯⎯⎯⎯⎯

17 re- ⎯⎯⎯⎯⎯

18 -ism ⎯⎯⎯⎯⎯

19 ab- ⎯⎯⎯⎯⎯

20 non- ⎯⎯⎯⎯⎯

21 -ly ⎯⎯⎯⎯⎯

22 -ee ⎯⎯⎯⎯⎯

23 -ness ⎯⎯⎯⎯⎯

24 semi- ⎯⎯⎯⎯⎯

25 -tion ⎯⎯⎯⎯⎯

26 -ent ⎯⎯⎯⎯⎯

27 -less ⎯⎯⎯⎯⎯

28 -ant ⎯⎯⎯⎯⎯

정답			
01 동사 "~화하다"	10 명사	19 반대말	28 명사 "~하는 사람"
02 반대말	11 "~후에"	20 반대말	
03 "~사이에"	12 명사	21 부사	
04 형용사	13 반대말	22 명사 "~받는 사람"	
05 동사 "~화하다"	14 명사	23 명사	
06 형용사	15 명사 "~하는 사람"	24 "반,준"	
07 형용사	16 "~전에"	25 명사	
08 형용사 "~할 수 있는"	17 "다시"	26 명사 "~하는 사람"	
09 형용사	18 명사 "~주의"	27 형용사 "~이 없는"	

232	
used to 동사원형	~하곤했다

233	
be used to 동사원형	~하는데 사용되다

234	
be used to (-ing/명사)	~에 익숙하다

235	
remember to 동사원형	~할 것을 기억하다

236	
remember -ing	~했던 것을 기억하다

237	
forget to 동사원형	~할 것을 잊다

238	
forget -ing	~했던 것을 잊다

239	
regret to 동사원형	~하게 되어 유감이다

240	
regret -ing	~했던 것을 후회하다

241	
try to 동사원형	~하기 위해 노력하다

242	
try -ing	시험삼아 ~해보다

243	
stop to 동사원형	~하기 위해 멈추다

244	
stop -ing	~하던 것을 멈추다

245	
rise - rose - risen	오르다 (자동사)

246	
raise - raised - raised	올리다 (타동사)

247	
find - found - found	찾다 (타동사)

248	
found - founded - founded	설립하다 (타동사)

249	
fall - fell - fallen	떨어지다 (자동사)

250	
fell - felled - felled	쓰러뜨리다 (타동사)

251	
sit - sat - sat	앉다 (자동사)

252	
seat - seated - seated	앉히다 (타동사)

Review Test

☑️ 다음 영단어의 뜻을 우리말로 쓰시오.

01 rise - rose - risen _____

02 raise - raised - raised _____

03 forget -ing _____

04 forget to 동사원형 _____

05 stop to 동사원형 _____

06 regret -ing _____

07 try -ing _____

08 stop -ing _____

09 fell - felled - felled _____

10 try to 동사원형 _____

11 remember to 동사원형 _____

12 be used to 동사원형 _____

13 be used to (-ing/명사) _____

14 regret to 동사원형 _____

15 fall - fell - fallen _____

16 seat - seated - seated _____

17 found - founded - founded _____

18 find - found - found _____

19 remember -ing _____

20 used to 동사원형 _____

21 sit - sat - sat _____

정답
01 오르다 (자동사)
02 올리다 (타동사)
03 ~했던 것을 잊다
04 ~할 것을 잊다
05 ~하기 위해 멈추다
06 ~했던 것을 후회하다
07 시험삼아 ~해보다
08 ~하던 것을 멈추다
09 쓰러뜨리다 (타동사)

10 ~하기 위해 노력하다
11 ~할 것을 기억하다
12 ~하는데 사용되다
13 ~에 익숙하다
14 ~하게 되어 유감이다
15 떨어지다 (자동사)
16 앉히다 (타동사)
17 설립하다 (타동사)
18 찾다 (타동사)

19 ~했던 것을 기억하다
20 ~하곤했다
21 앉다 (자동사)

Review Test ———————————————

☑ 다음 영단어의 뜻을 우리말로 쓰시오.

01 remember -ing ....

02 remember to 동사원형 ....

03 regret -ing ....

04 try to 동사원형 ....

05 fall - fell - fallen ....

06 try -ing ....

07 fell - felled - felled ....

08 seat - seated - seated ....

09 be used to 동사원형 ....

10 stop to 동사원형 ....

11 stop -ing ....

12 forget to 동사원형 ....

13 forget -ing ....

14 found - founded - founded ....

15 find - found - found ....

16 used to 동사원형 ....

17 be used to (-ing/명사) ....

18 raise - raised - raised ....

19 regret to 동사원형 ....

20 rise - rose - risen ....

21 sit - sat - sat ....

정답
01 ~했던 것을 기억하다
02 ~할 것을 기억하다
03 ~했던 것을 후회하다
04 ~하기 위해 노력하다
05 떨어지다 (자동사)
06 시험삼아 ~해보다
07 쓰러뜨리다 (타동사)
08 앉히다 (타동사)
09 ~하는데 사용되다

10 ~하기 위해 멈추다
11 ~하던 것을 멈추다
12 ~할 것을 잊다
13 ~했던 것을 잊다
14 설립하다 (타동사)
15 찾다 (타동사)
16 ~하곤했다
17 ~에 익숙하다
18 올리다 (타동사)

19 ~하게 되어 유감이다
20 오르다 (자동사)
21 앉다 (자동사)

58

☑ 다음 영단어의 뜻을 우리말로 쓰시오.

01 be used to (-ing/명사)	12 forget -ing
02 forget to 동사원형	13 used to 동사원형
03 raise - raised - raised	14 try to 동사원형
04 regret to 동사원형	15 be used to 동사원형
05 remember -ing	16 fell - felled - felled
06 stop to 동사원형	17 stop -ing
07 find - found - found	18 rise - rose - risen
08 remember to 동사원형	19 found - founded - founded
09 fall - fell - fallen	20 try -ing
10 sit - sat - sat	21 seat - seated - seated
11 regret -ing	

정답
01 ~에 익숙하다
02 ~할 것을 잊다
03 올리다 (타동사)
04 ~하게 되어 유감이다
05 ~했던 것을 기억하다
06 ~하기 위해 멈추다
07 찾다 (타동사)
08 ~할 것을 기억하다
09 떨어지다 (자동사)
10 앉다 (자동사)
11 ~했던 것을 후회하다
12 ~했던 것을 잊다
13 ~하곤했다
14 ~하기 위해 노력하다
15 ~하는데 사용되다
16 쓰러뜨리다 (타동사)
17 ~하던 것을 멈추다
18 오르다 (자동사)
19 설립하다 (타동사)
20 시험삼아 ~해보다
21 앉히다 (타동사)

253	
lie - lay - lain	놓여있다 (자동사)

254	
lie - lied - lied	거짓말하다 (자동사)

255	
lay - laid - laid	놓다 (타동사)

256	
bind - bound - bound	묶다 (타동사)

257	
bound - bounded - bounded	튀다 (자동사)

258	
wind - wound - wound	감다 (타동사)

259	
wound - wounded - wounded	상처를 입히다 (타동사)

260		
arise - arose - arisen		생기다 (자동사)

261		
arouse - aroused - aroused		불러일으키다 (타동사)

262		
A(원인) result in B(결과)		A가 B를 일으키다

263		
A(결과) result from B(원인)		A는 B로부터 일어난다

264		
(may/might) 동사원형		~일지도 모른다

265		
(may/might) have p.p		~였을지도 모른다

266		
should have p.p		~했어야 했다.

267	
must have p.p	~했음에 틀림없다

268	
That is why	그런 이유로

269	
That is because	그것은 ~때문이다

270	
be known as	~로서 알려지다

271	
be known for	~로 알려지다

272	
be known to	~에게 알려지다

273	
be known by	~에 의해서 알려지다

Review Test

☑ 다음 영단어의 뜻을 우리말로 쓰시오.

01 (may/might) have p.p _____

02 A(원인) result in B(결과) _____

03 be known by _____

04 should have p.p _____

05 That is because _____

06 arise - arose - arisen _____

07 must have p.p _____

08 be known as _____

09 lie - lied - lied _____

10 bound - bounded - bounded _____

11 (may/might) 동사원형 _____

12 arouse - aroused - aroused _____

13 wind - wound - wound _____

14 wound - wounded - wounded _____

15 be known for _____

16 lay - laid - laid _____

17 be known to _____

18 A(원인) result in B(결과) _____

19 That is why _____

20 bind - bound - bound _____

21 lie - lied - lied _____

정답
01 ~였을지도 모른다	10 튀다 (자동사)	19 그런 이유로
02 A는 B로부터 일어난다	11 ~일지도 모른다	20 묶다 (타동사)
03 ~에 의해서 알려지다	12 불러일으키다 (타동사)	21 거짓말하다 (자동사)
04 ~했어야 했다.	13 감다 (타동사)	
05 그것은 ~때문이다	14 상처를 입히다 (타동사)	
06 생기다 (자동사)	15 ~로 알려지다	
07 ~했음에 틀림없다	16 놓다 (타동사)	
08 ~로서 알려지다	17 ~에게 알려지다	
09 놓여있다 (자동사)	18 A가 B를 일으키다	

Review Test

☑ 다음 영단어의 뜻을 우리말로 쓰시오.

01 be known to _____

02 be known as _____

03 A(원인) result in B(결과) _____

04 lie - lay - lain _____

05 wind - wound - wound _____

06 arise - arose - arisen _____

07 That is because _____

08 lay - laid - laid _____

09 bind - bound - bound _____

10 A(결과) result from B(원인) _____

11 arouse - aroused - aroused _____

12 That is why _____

13 (may/might) 동사원형 _____

14 must have p.p _____

15 should have p.p _____

16 lie - lied - lied _____

17 be known by _____

18 wound - wounded - wounded _____

19 be known for _____

20 bound - bounded - bounded _____

21 (may/might) have p.p _____

정답

01 ~에게 알려지다
02 ~로서 알려지다
03 A가 B를 일으키다
04 놓여있다 (자동사)
05 감다 (타동사)
06 생기다 (자동사)
07 그것은 ~때문이다
08 놓다 (타동사)
09 묶다 (타동사)

10 A는 B로부터 일어난다
11 불러일으키다 (타동사)
12 그런 이유로
13 ~일지도 모른다
14 ~했음에 틀림없다
15 ~했어야 했다.
16 거짓말하다 (자동사)
17 ~에 의해서 알려지다
18 상처를 입히다 (타동사)

19 ~로 알려지다
20 튀다 (자동사)
21 ~였을지도 모른다

Review Test

☑ 다음 영단어의 뜻을 우리말로 쓰시오.

01 bound - bounded - bounded _____

02 arise - arose - arisen _____

03 bind - bound - bound _____

04 should have p.p _____

05 A(원인) result in B(결과) _____

06 That is why _____

07 (may/might) have p.p _____

08 That is because _____

09 be known as _____

10 wind - wound - wound _____

11 must have p.p _____

12 lay - laid - laid _____

13 lie - lay - lain _____

14 wound - wounded - wounded _____

15 be known by _____

16 be known for _____

17 A(결과) result from B(원인) _____

18 lie - lied - lied _____

19 arouse - aroused - aroused _____

20 (may/might) 동사원형 _____

21 be known to _____

정답

01 튀다 (자동사)
02 생기다 (자동사)
03 묶다 (타동사)
04 ~했어야 했다.
05 A가 B를 일으키다
06 그런 이유로
07 ~였을지도 모른다
08 그것은 ~때문이다
09 ~로서 알려지다

10 감다 (타동사)
11 ~했음에 틀림없다
12 놓다 (타동사)
13 놓여있다 (자동사)
14 상처를 입히다 (타동사)
15 ~에 의해서 알려지다
16 ~로 알려지다
17 A는 B로부터 일어난다
18 거짓말하다 (자동사)

19 불러일으키다 (타동사)
20 ~일지도 모른다
21 ~에게 알려지다

65

274	
sing	sang-sung 노래하다

275	
begin	began-begun 시작하다

276	
teach	taught-taught 가르치다

277	
steal	stole-stolen 훔치다

278	
strive	strove-striven 노력하다

279	
sell	sold-sold 팔다

280	
draw	drew-drawn 그리다

281	
cost	cost-cost 비용이 들다

282	
shut	shut-shut 닫다

283	
spin	spun-spun 짜다

284	
sink	sank-sunk 가라앉다

285	
write	wrote-written 쓰다

286	
know	knew-known 알다

287	
hurt	hurt-hurt 상처를 입히다

288	
seek	sought-sought 구하다

289	
drink	drank-drunk 마시다

290	
spread	spread-spread 퍼지다

291	
shoot	shot-shot 쏘다

292	
blow	blew-blown 불다

293	
lead	led-led 이끌다

294	
stand	stood-stood 서다

Review Test

☑ 다음 동사의 과거형, 과거분사형, 뜻을 적으시오.

01 shut _____   12 teach _____

02 drink _____   13 sink _____

03 shoot _____   14 sell _____

04 hurt _____   15 cost _____

05 spin _____   16 lead _____

06 draw _____   17 begin _____

07 seek _____   18 blow _____

08 stand _____   19 spread _____

09 strive _____   20 write _____

10 sing _____   21 steal _____

11 know _____

정답
01 shut-shut 닫다	10 sang-sung 노래하다	19 spread-spread 퍼지다
02 drank-drunk 마시다	11 knew-known 알다	20 wrote-written 쓰다
03 shot-shot 쏘다	12 taught-taught 가르치다	21 stole-stolen 훔치다
04 hurt-hurt 상처를 입히다	13 sank-sunk 가라앉다	
05 spun-spun 짜다	14 sold-sold 팔다	
06 drew-drawn 그리다	15 cost-cost 비용이 들다	
07 sought-sought 구하다	16 led-led 이끌다	
08 stood-stood 서다	17 began-begun 시작하다	
09 strove-striven 노력하다	18 blew-blown 불다	

Review Test

☑ 다음 동사의 과거형, 과거분사형, 뜻을 적으시오.

01 stand ....

02 spread ....

03 draw ....

04 hurt ....

05 steal ....

06 sing ....

07 lead ....

08 blow ....

09 spin ....

10 shut ....

11 cost ....

12 seek ....

13 sink ....

14 know ....

15 strive ....

16 sell ....

17 begin ....

18 drink ....

19 teach ....

20 shoot ....

21 write ....

정답

01 stood-stood 서다
02 spread-spread 퍼지다
03 drew-drawn 그리다
04 hurt-hurt 상처를 입히다
05 stole-stolen 훔치다
06 sang-sung 노래하다
07 led-led 이끌다
08 blew-blown 불다
09 spun-spun 짜다

10 shut-shut 닫다
11 cost-cost 비용이 들다
12 sought-sought 구하다
13 sank-sunk 가라앉다
14 knew-known 알다
15 strove-striven 노력하다
16 sold-sold 팔다
17 began-begun 시작하다
18 drank-drunk 마시다

19 taught-taught 가르치다
20 shot-shot 쏘다
21 wrote-written 쓰다

☑ 다음 동사의 과거형, 과거분사형, 뜻을 적으시오.

01 hurt ....   12 cost ....

02 sing ....   13 stand ....

03 spin ....   14 shut ....

04 drink ....   15 spread ....

05 draw ....   16 sink ....

06 know ....   17 sell ....

07 begin ....   18 steal ....

08 strive ....   19 teach ....

09 blow ....   20 lead ....

10 seek ....   21 shoot ....

11 write ....

정답

01 hurt-hurt 상처를 입히다	10 sought-sought 구하다	19 taught-taught 가르치다
02 sang-sung 노래하다	11 wrote-written 쓰다	20 led-led 이끌다
03 spun-spun 짜다	12 cost-cost 비용이 들다	21 shot-shot 쏘다
04 drank-drunk 마시다	13 stood-stood 서다	
05 drew-drawn 그리다	14 shut-shut 닫다	
06 knew-known 알다	15 spread-spread 퍼지다	
07 began-begun 시작하다	16 sank-sunk 가라앉다	
08 strove-striven 노력하다	17 sold-sold 팔다	
09 blew-blown 불다	18 stole-stolen 훔치다	

DAY 11 불규칙 동사

| 295 | show | showed-shown 보여주다 |

| 296 | stick | stuck-stuck 찌르다 |

| 297 | run | ran-run 달리다 |

| 298 | come | came-come 오다 |

| 299 | bend | bent-bent 구부리다 |

| 300 | tear | tore-torn 찢다 |

| 301 | meet | met-met 만나다 |

302	
rise	rose-risen 오르다

303	
bite	bit-bitten 물다

304	
sleep	slept-slept 자다

305	
flee	fled-fled 도망치다

306	
win	won-won 이기다

307	
feed	fed-fed 먹이를 주다

308	
swear	swore-sworn 맹세하다

309	drive	drove-driven 운전하다
310	break	broke-broken 깨다
311	mean	meant-meant 의미하다
312	weep	wept-wept 울다
313	ride	rode-ridden 타다
314	hear	heard-heard 듣다
315	cut	cut-cut 자르다

Review Test

☑ 다음 동사의 과거형, 과거분사형, 뜻을 적으시오.

01 swear .... 12 stick ....

02 drive .... 13 run ....

03 meet .... 14 rise ....

04 tear .... 15 weep ....

05 win .... 16 cut ....

06 bite .... 17 mean ....

07 flee .... 18 break ....

08 feed .... 19 bend ....

09 ride .... 20 show ....

10 sleep .... 21 hear ....

11 come ....

정답

01 swore-sworn 맹세하다	10 slept-slept 자다	19 bent-bent 구부리다
02 drove-driven 운전하다	11 came-come 오다	20 showed-shown 보여주다
03 met-met 만나다	12 stuck-stuck 찌르다	21 heard-heard 듣다
04 tore-torn 찢다	13 ran-run 달리다	
05 won-won 이기다	14 rose-risen 오르다	
06 bit-bitten 물다	15 wept-wept 울다	
07 fled-fled 도망치다	16 cut-cut 자르다	
08 fed-fed 먹이를 주다	17 meant-meant 의미하다	
09 rode-ridden 타다	18 broke-broken 깨다	

Review Test

☑️ 다음 동사의 과거형, 과거분사형, 뜻을 적으시오.

01 bend ....

02 come ....

03 bite ....

04 sleep ....

05 weep ....

06 flee ....

07 ride ....

08 cut ....

09 stick ....

10 win ....

11 feed ....

12 tear ....

13 meet ....

14 mean ....

15 break ....

16 show ....

17 run ....

18 drive ....

19 rise ....

20 swear ....

21 hear ....

정답
01 bent-bent 구부리다
02 came-come 오다
03 bit-bitten 물다
04 slept-slept 자다
05 wept-wept 울다
06 fled-fled 도망치다
07 rode-ridden 타다
08 cut-cut 자르다
09 stuck-stuck 찌르다

10 won-won 이기다
11 fed-fed 먹이를 주다
12 tore-torn 찢다
13 met-met 만나다
14 meant-meant 의미하다
15 broke-broken 깨다
16 showed-shown 보여주다
17 ran-run 달리다
18 drove-driven 운전하다

19 rose-risen 오르다
20 swore-sworn 맹세하다
21 heard-heard 듣다

Review Test

☑ 다음 동사의 과거형, 과거분사형, 뜻을 적으시오.

01 run		12 meet	
02 tear		13 show	
03 drive		14 sleep	
04 rise		15 stick	
05 bend		16 ride	
06 win		17 feed	
07 break		18 swear	
08 come		19 mean	
09 weep		20 flee	
10 hear		21 cut	
11 bite			

정답
- 01 ran-run 달리다
- 02 tore-torn 찢다
- 03 drove-driven 운전하다
- 04 rose-risen 오르다
- 05 bent-bent 구부리다
- 06 won-won 이기다
- 07 broke-broken 깨다
- 08 came-come 오다
- 09 wept-wept 울다
- 10 heard-heard 듣다
- 11 bit-bitten 물다
- 12 met-met 만나다
- 13 showed-shown 보여주다
- 14 slept-slept 자다
- 15 stuck-stuck 찌르다
- 16 rode-ridden 타다
- 17 fed-fed 먹이를 주다
- 18 swore-sworn 맹세하다
- 19 meant-meant 의미하다
- 20 fled-fled 도망치다
- 21 cut-cut 자르다

DAY 12 불규칙 동사

316
say
said-said 말하다

317
hold
held-held 잡다

318
fly
flew-flown 날다

319
buy
bought-bought 사다

320
cast
cast-cast 던지다

321
speak
spoke-spoken 말하다

322
put
put-put 놓다

323	dig	dug-dug 파다
324	leave	left-left 떠나다
325	freeze	froze-frozen 얼다
326	catch	caught-caught 잡다
327	lend	lent-lent 빌려주다
328	beat	beat-beaten 때리다
329	become	became-become 되다

330	
grow	grew-grown 성장하다

331	
bring	brought-brought 가져오다

332	
deal	dealt-dealt 다루다

333	
upset	upset-upset 뒤엎다

334	
throw	threw-thrown 던지다

335	
let	let-let ~하게 하다

336	
pay	paid-paid 지불하다

☑ 다음 동사의 과거형, 과거분사형, 뜻을 적으시오.

01 beat	....	12 leave	....
02 catch	....	13 speak	....
03 pay	....	14 put	....
04 become	....	15 throw	....
05 deal	....	16 fly	....
06 dig	....	17 let	....
07 grow	....	18 freeze	....
08 upset	....	19 bring	....
09 say	....	20 buy	....
10 cast	....	21 hold	....
11 lend	....		

정답

01 beat-beaten 때리다	10 cast-cast 던지다	19 brought-brought 가져오다
02 caught-caught 잡다	11 lent-lent 빌려주다	20 bought-bought 사다
03 paid-paid 지불하다	12 left-left 떠나다	21 held-held 잡다
04 became-become 되다	13 spoke-spoken 말하다	
05 dealt-dealt 다루다	14 put-put 놓다	
06 dug-dug 파다	15 threw-thrown 던지다	
07 grew-grown 성장하다	16 flew-flown 날다	
08 upset-upset 뒤엎다	17 let-let ~하게 하다	
09 said-said 말하다	18 froze-frozen 얼다	

Review Test

☑ 다음 동사의 과거형, 과거분사형, 뜻을 적으시오.

01 let ....

02 upset ....

03 freeze ....

04 say ....

05 speak ....

06 dig ....

07 deal ....

08 fly ....

09 buy ....

10 catch ....

11 leave ....

12 bring ....

13 lend ....

14 grow ....

15 become ....

16 hold ....

17 pay ....

18 put ....

19 throw ....

20 cast ....

21 beat ....

정답
01 let-let ~하게 하다
02 upset-upset 뒤엎다
03 froze-frozen 얼다
04 said-said 말하다
05 spoke-spoken 말하다
06 dug-dug 파다
07 dealt-dealt 다루다
08 flew-flown 날다
09 bought-bought 사다

10 caught-caught 잡다
11 left-left 떠나다
12 brought-brought 가져오다
13 lent-lent 빌려주다
14 grew-grown 성장하다
15 became-become 되다
16 held-held 잡다
17 paid-paid 지불하다
18 put-put 놓다

19 threw-thrown 던지다
20 cast-cast 던지다
21 beat-beaten 때리다

82

Review Test

☑ 다음 동사의 과거형, 과거분사형, 뜻을 적으시오.

01 cast ....   12 fly ....

02 dig ....   13 say ....

03 buy ....   14 put ....

04 become ....   15 pay ....

05 freeze ....   16 throw ....

06 bring ....   17 catch ....

07 beat ....   18 hold ....

08 deal ....   19 leave ....

09 upset ....   20 lend ....

10 speak ....   21 let ....

11 grow ....

정답
01 cast-cast 던지다	10 spoke-spoken 말하다	19 left-left 떠나다
02 dug-dug 파다	11 grew-grown 성장하다	20 lent-lent 빌려주다
03 bought-bought 사다	12 flew-flown 날다	21 let-let ~하게 하다
04 became-become 되다	13 said-said 말하다	
05 froze-frozen 얼다	14 put-put 놓다	
06 brought-brought 가져오다	15 paid-paid 지불하다	
07 beat-beaten 때리다	16 threw-thrown 던지다	
08 dealt-dealt 다루다	17 caught-caught 잡다	
09 upset-upset 뒤엎다	18 held-held 잡다	

DAY 13 불규칙 동사

337	hide	hid-hidden 숨기다

338	feel	felt-felt 느끼다

339	swim	swam-swum 수영하다

340	wear	wore-worn 입다

341	set	set-set 두다

342	burst	burst-burst 파열하다

343	swing	swung-swung 흔들다

344	
fight	fought-fought 싸우다

345	
hit	hit-hit 치다

346	
keep	kept-kept 지키다

347	
eat	ate-eaten 먹다

348	
shake	shook-shaken 흔들다

349	
choose	chose-chosen 선택하다

350	
read	read-read 읽다

351		
forget		forgot-forgotten 잊다

352		
think		thought-thought 생각하다

353		
spend		spent-spent 소비하다

354		
ring		rang-rung 울리다

355		
strike		struck-struck 치다

356		
lose		lost-lost 잃다

357		
shine		shone-shone 빛나다

☑ 다음 동사의 과거형, 과거분사형, 뜻을 적으시오.

01 hit .... 12 swim ....

02 think .... 13 eat ....

03 ring .... 14 burst ....

04 read .... 15 fight ....

05 keep .... 16 lose ....

06 swing .... 17 feel ....

07 forget .... 18 strike ....

08 shine .... 19 spend ....

09 set .... 20 shake ....

10 hide .... 21 wear ....

11 choose ....

정답

01 hit-hit 치다	10 hid-hidden 숨기다	19 spent-spent 소비하다
02 thought-thought 생각하다	11 chose-chosen 선택하다	20 shook-shaken 흔들다
03 rang-rung 울리다	12 swam-swum 수영하다	21 wore-worn 입다
04 read-read 읽다	13 ate-eaten 먹다	
05 kept-kept 지키다	14 burst-burst 파열하다	
06 swung-swung 흔들다	15 fought-fought 싸우다	
07 forgot-forgotten 잊다	16 lost-lost 잃다	
08 shone-shone 빛나다	17 felt-felt 느끼다	
09 set-set 두다	18 struck-struck 치다	

Review Test

☑ 다음 동사의 과거형, 과거분사형, 뜻을 적으시오.

01 shine ....

02 spend ....

03 swing ....

04 read ....

05 wear ....

06 hide ....

07 lose ....

08 strike ....

09 keep ....

10 hit ....

11 fight ....

12 forget ....

13 eat ....

14 choose ....

15 set ....

16 burst ....

17 feel ....

18 think ....

19 swim ....

20 ring ....

21 shake ....

정답 01 shone-shone 빛나다
02 spent-spent 소비하다
03 swung-swung 흔들다
04 read-read 읽다
05 wore-worn 입다
06 hid-hidden 숨기다
07 lost-lost 잃다
08 struck-struck 치다
09 kept-kept 지키다

10 hit-hit 치다
11 fought-fought 싸우다
12 forgot-forgotten 잊다
13 ate-eaten 먹다
14 chose-chosen 선택하다
15 set-set 두다
16 burst-burst 파열하다
17 felt-felt 느끼다
18 thought-thought 생각하다

19 swam-swum 수영하다
20 rang-rung 울리다
21 shook-shaken 흔들다

☑ 다음 동사의 과거형, 과거분사형, 뜻을 적으시오.

01 read   12 fight

02 hide   13 shine

03 keep   14 hit

04 think   15 spend

05 swing   16 eat

06 choose   17 burst

07 feel   18 wear

08 set   19 swim

09 strike   20 lose

10 forget   21 ring

11 shake

정답

01 read-read 읽다	10 forgot-forgotten 잊다	19 swam-swum 수영하다
02 hid-hidden 숨기다	11 shook-shaken 흔들다	20 lost-lost 잃다
03 kept-kept 지키다	12 fought-fought 싸우다	21 rang-rung 울리다
04 thought-thought 생각하다	13 shone-shone 빛나다	
05 swung-swung 흔들다	14 hit-hit 치다	
06 chose-chosen 선택하다	15 spent-spent 소비하다	
07 felt-felt 느끼다	16 ate-eaten 먹다	
08 set-set 두다	17 burst-burst 파열하다	
09 struck-struck 치다	18 wore-worn 입다	

DAY 14 분위기 / 심경

358	admiring [어드마이어링]	감탄하는

359	eager [이거]	열렬한

360	apologetic [어팔러제틱]	사과하는

361	polite [펄라이트]	예의바른

362	passionate [패셔니트]	열정적인

363	confident [컨피던트]	자신감있는

364	disgusted [디스거스티드]	혐오감을 느끼는

365	exhausted [이그조스티드]	지친
366	awkward [오쿼드]	서투른
367	sacred [세이크리드]	성스러운
368	abandoned [어밴던드]	버려진
369	arrogant [애러건트]	거만한
370	horrified [허러파이드]	겁에 질린
371	self-assured [셀프어슈어드]	자신감 있는

372	**revengeful** [리벤쥐풀]	복수심에 불타는
373	**dreary** [드리어리]	음울한
374	**mysterious** [미스티리어스]	신비한
375	**resentful** [리젠트풀]	분개한
376	**mystical** [미스티컬]	신비한
377	**breathless** [브레뜰리스]	숨이 찬
378	**relieved** [릴리브드]	안심한

379	**amused** [어뮤즈드]	즐거운
380	**dependent** [디펜던트]	의존하는
381	**horrific** [허리픽]	공포감을 주는
382	**regretful** [리그렛풀]	후회하는
383	**distressed** [디스트레스트]	고뇌에 지친
384	**respectful** [리스펙트풀]	존중하는
385	**miserable** [미저러블]	비참한

386	serious [시리어스]	진지한
387	harmonious [하모니어스]	조화로운
388	frightening [프라이트닝]	무서운
389	fascinating [패시네이팅]	매혹적인
390	embarrassed [임배러스트]	당황스러워하는
391	moved [무브드]	감동받은
392	threatened [뜨레튼드]	위협을 받는

Review Test

☑ 다음 영단어의 뜻을 우리말로 쓰시오.

01 serious ....

02 amused ....

03 regretful ....

04 self-assured ....

05 revengeful ....

06 embarrassed ....

07 disgusted ....

08 confident ....

09 threatened ....

10 frightening ....

11 arrogant ....

12 horrific ....

13 awkward ....

14 abandoned ....

15 horrified ....

16 mystical ....

17 respectful ....

18 sacred ....

19 dependent ....

20 moved ....

21 fascinating ....

22 harmonious ....

23 polite ....

24 eager ....

25 apologetic ....

26 exhausted ....

27 resentful ....

28 relieved ....

29 mysterious ....

30 dreary ....

31 passionate ....

32 distressed ....

33 admiring ....

34 breathless ....

35 miserable ....

정답

01 진지한	10 무서운	19 의존하는	28 안심한
02 즐거운	11 거만한	20 감동받은	29 신비한
03 후회하는	12 공포감을 주는	21 매혹적인	30 음울한
04 자신감 있는	13 서투른	22 조화로운	31 열정적인
05 복수심에 불타는	14 버려진	23 예의바른	32 고뇌에 지친
06 당황스러워하는	15 겁에 질린	24 열렬한	33 감탄하는
07 혐오감을 느끼는	16 신비한	25 사과하는	34 숨이 찬
08 자신감있는	17 존중하는	26 지친	35 비참한
09 위협을 받는	18 성스러운	27 분개한	

Review Test

☑️ 다음 영단어의 뜻을 우리말로 쓰시오.

01 passionate		19 serious	
02 miserable		20 confident	
03 polite		21 threatened	
04 regretful		22 disgusted	
05 awkward		23 mysterious	
06 sacred		24 horrific	
07 moved		25 dreary	
08 resentful		26 admiring	
09 abandoned		27 respectful	
10 mystical		28 apologetic	
11 dependent		29 revengeful	
12 relieved		30 exhausted	
13 eager		31 self-assured	
14 distressed		32 fascinating	
15 arrogant		33 frightening	
16 horrified		34 breathless	
17 amused		35 harmonious	
18 embarrassed			

Review Test

☑ 다음 영단어의 뜻을 우리말로 쓰시오.

01 dependent ....

02 serious ....

03 moved ....

04 passionate ....

05 regretful ....

06 amused ....

07 harmonious ....

08 confident ....

09 distressed ....

10 sacred ....

11 exhausted ....

12 horrific ....

13 horrified ....

14 mysterious ....

15 revengeful ....

16 breathless ....

17 miserable ....

18 mystical ....

19 frightening ....

20 arrogant ....

21 fascinating ....

22 eager ....

23 threatened ....

24 polite ....

25 awkward ....

26 resentful ....

27 apologetic ....

28 abandoned ....

29 embarrassed ....

30 relieved ....

31 respectful ....

32 dreary ....

33 admiring ....

34 self-assured ....

35 disgusted ....

정답
01 의존하는
02 진지한
03 감동받은
04 열정적인
05 후회하는
06 즐거운
07 조화로운
08 자신감있는
09 고뇌에 지친

10 성스러운
11 지친
12 공포감을 주는
13 겁에 질린
14 신비한
15 복수심에 불타는
16 숨이 찬
17 비참한
18 신비한

19 무서운
20 거만한
21 매혹적인
22 열렬한
23 위협을 받는
24 예의바른
25 서투른
26 분개한
27 사과하는

28 버려진
29 당황스러워하는
30 안심한
31 존중하는
32 음울한
33 감탄하는
34 자신감 있는
35 혐오감을 느끼는

393	**anticipating** [앤티서페이팅]	기대하는

394	**imprudent** [임푸르던트]	경솔한

395	**solitary** [살러테리]	고독한

396	**humiliated** [휴밀리에이티드]	창피한

397	**astonished** [어스타니쉬트]	놀란

398	**neutral** [뉴트럴]	중립적인

399	**surprising** [서프라이징]	놀라운

400	**disgusting** [디스거스팅]	역겨운
401	**suspicious** [서스피셔스]	의심스러운
402	**pleasant** [플레즌트]	기쁜
403	**triumphant** [트라이엄펀트]	의기양양한
404	**contented** [컨텐티드]	만족스러운
405	**disappointed** [디서포인티드]	실망한
406	**cooperative** [코아퍼레이티브]	협력적인

407	defensive [디펜시브]	방어적인
408	scary [스케리]	무서운
409	guilty [길티]	죄책감이 드는
410	pleased [플리즈드]	기쁜
411	risky [리스키]	위험한
412	recollective [리컬렉티브]	추억의
413	spectacular [스펙태큘러]	화려한

414	**shocking** [샤킹]	충격적인
415	**complicated** [캄플리케이티드]	복잡한
416	**monotonous** [머나터너스]	단조로운
417	**thrilled** [뜨릴드]	신나는
418	**sarcastic** [사캐스틱]	빈정대는
419	**disheartening** [디스하트닝]	낙심시키는
420	**hateful** [헤이트풀]	증오에 찬

421	careless [케얼리스]	부주의한
422	horrifying [허러파잉]	무서운
423	desolate [데설리트]	황량한
424	critical [크리티컬]	비판적인
425	delightful [딜라이트풀]	기쁜
426	annoyed [어노이드]	짜증난
427	concerned [컨선드]	걱정하는

Review Test

☑ 다음 영단어의 뜻을 우리말로 쓰시오.

01 critical		19 suspicious	
02 disappointed		20 sarcastic	
03 triumphant		21 neutral	
04 spectacular		22 surprising	
05 cooperative		23 risky	
06 guilty		24 monotonous	
07 disgusting		25 solitary	
08 complicated		26 recollective	
09 defensive		27 pleasant	
10 hateful		28 scary	
11 delightful		29 desolate	
12 shocking		30 thrilled	
13 careless		31 concerned	
14 pleased		32 humiliated	
15 anticipating		33 annoyed	
16 disheartening		34 imprudent	
17 astonished		35 horrifying	
18 contented			

정답

01 비판적인	10 증오에 찬	19 의심스러운	28 무서운
02 실망한	11 기쁜	20 빈정대는	29 황량한
03 의기양양한	12 충격적인	21 중립적인	30 신나는
04 화려한	13 부주의한	22 놀라운	31 걱정하는
05 협력적인	14 기쁜	23 위험한	32 창피한
06 죄책감이 드는	15 기대하는	24 단조로운	33 짜증난
07 역겨운	16 낙심시키는	25 고독한	34 경솔한
08 복잡한	17 놀란	26 추억의	35 무서운
09 방어적인	18 만족스러운	27 기쁜	

Review Test

☑ 다음 영단어의 뜻을 우리말로 쓰시오.

01 recollective		19 desolate	
02 pleased		20 scary	
03 careless		21 delightful	
04 pleasant		22 contented	
05 anticipating		23 defensive	
06 thrilled		24 cooperative	
07 annoyed		25 hateful	
08 neutral		26 disheartening	
09 shocking		27 imprudent	
10 disgusting		28 spectacular	
11 guilty		29 surprising	
12 solitary		30 concerned	
13 sarcastic		31 complicated	
14 critical		32 risky	
15 humiliated		33 astonished	
16 monotonous		34 horrifying	
17 triumphant		35 disappointed	
18 suspicious			

정답

01 추억의	10 역겨운	19 황량한	28 화려한
02 기쁜	11 죄책감이 드는	20 무서운	29 놀라운
03 부주의한	12 고독한	21 기쁜	30 걱정하는
04 기쁜	13 빈정대는	22 만족스러운	31 복잡한
05 기대하는	14 비판적인	23 방어적인	32 위험한
06 신나는	15 창피한	24 협력적인	33 놀란
07 짜증난	16 단조로운	25 증오에 찬	34 무서운
08 중립적인	17 의기양양한	26 낙심시키는	35 실망한
09 충격적인	18 의심스러운	27 경솔한	

Review Test

☑️ 다음 영단어의 뜻을 우리말로 쓰시오.

01 astonished		19 neutral	
02 disgusting		20 concerned	
03 humiliated		21 defensive	
04 horrifying		22 solitary	
05 monotonous		23 anticipating	
06 thrilled		24 surprising	
07 cooperative		25 spectacular	
08 complicated		26 risky	
09 critical		27 triumphant	
10 delightful		28 imprudent	
11 shocking		29 hateful	
12 pleasant		30 suspicious	
13 scary		31 annoyed	
14 desolate		32 contented	
15 disappointed		33 careless	
16 guilty		34 recollective	
17 disheartening		35 sarcastic	
18 pleased			

정답

01 놀란	10 기쁜	19 중립적인	28 경솔한
02 역겨운	11 충격적인	20 걱정하는	29 증오에 찬
03 창피한	12 기쁜	21 방어적인	30 의심스러운
04 무서운	13 무서운	22 고독한	31 짜증난
05 단조로운	14 황량한	23 기대하는	32 만족스러운
06 신나는	15 실망한	24 놀라운	33 부주의한
07 협력적인	16 죄책감이 드는	25 화려한	34 추억의
08 복잡한	17 낙심시키는	26 위험한	35 빈정대는
09 비판적인	18 기쁜	27 의기양양한	

428	**encouraging** [인커리징]	격려하는
429	**horrible** [호러블]	무서운
430	**timid** [티미드]	소심한
431	**bewildered** [비윌더드]	당황스러운
432	**devoted** [디보티드]	헌신적인
433	**considerate** [컨시더리트]	사려깊은
434	**scornful** [스콘풀]	경멸하는

435	analytic [애널리틱]	분석적인
436	despairing [디스페어링]	절망적인
437	wearisome [위어리섬]	지루한
438	crowded [크라우디드]	붐비는
439	noisy [노이지]	시끄러운
440	depressing [디프레싱]	우울하게 만드는
441	skeptical [스켑티컬]	회의적인

442	**relaxed** [릴랙스트]	긴장을 푸는
443	**dark** [다크]	어두운
444	**melancholy** [멜런칼리]	우울한
445	**interested** [인터레스티드]	관심있어 하는
446	**prudent** [프루던트]	신중한
447	**impatient** [임페이션트]	조바심 내는
448	**lively** [라이블리]	활기찬

449	odd [아드]	이상한
450	confused [컨퓨즈드]	혼란스러워하는
451	gloomy [글루미]	우울한
452	aggressive [어그레시브]	공격적인
453	flattering [플래터링]	아부하는
454	resolute [레절루트]	단호한
455	thankful [땡크풀]	고마워하는

456	greedy [그리디]	탐욕스러운
457	desperate [데스퍼리트]	절망한
458	ambitious [앰비셔스]	야망있는
459	festive [페스티브]	축제의
460	impressed [임프레스트]	감명을 받은
461	frustrated [프러스트레이티드]	좌절한
462	peaceful [피스풀]	평화로운

☑ 다음 영단어의 뜻을 우리말로 쓰시오.

01 despairing		19 odd	
02 dark		20 depressing	
03 interested		21 timid	
04 skeptical		22 crowded	
05 confused		23 considerate	
06 wearisome		24 aggressive	
07 gloomy		25 analytic	
08 flattering		26 impatient	
09 desperate		27 peaceful	
10 scornful		28 horrible	
11 festive		29 resolute	
12 relaxed		30 ambitious	
13 frustrated		31 prudent	
14 impressed		32 melancholy	
15 thankful		33 greedy	
16 lively		34 noisy	
17 devoted		35 bewildered	
18 encouraging			

정답

01 절망적인	10 경멸하는	19 이상한	28 무서운
02 어두운	11 축제의	20 우울하게 만드는	29 단호한
03 관심있어 하는	12 긴장을 푸는	21 소심한	30 야망있는
04 회의적인	13 좌절한	22 붐비는	31 신중한
05 혼란스러워하는	14 감명을 받은	23 사려깊은	32 우울한
06 지루한	15 고마워하는	24 공격적인	33 탐욕스러운
07 우울한	16 활기찬	25 분석적인	34 시끄러운
08 아부하는	17 헌신적인	26 조바심 내는	35 당황스러운
09 절망한	18 격려하는	27 평화로운	

Review Test

☑ 다음 영단어의 뜻을 우리말로 쓰시오.

01 lively		19 festive	
02 melancholy		20 relaxed	
03 scornful		21 greedy	
04 skeptical		22 crowded	
05 thankful		23 gloomy	
06 peaceful		24 desperate	
07 confused		25 depressing	
08 bewildered		26 impressed	
09 encouraging		27 devoted	
10 impatient		28 aggressive	
11 frustrated		29 odd	
12 prudent		30 considerate	
13 flattering		31 horrible	
14 wearisome		32 dark	
15 despairing		33 timid	
16 ambitious		34 interested	
17 analytic		35 noisy	
18 resolute			

정답

01 활기찬	10 조바심 내는	19 축제의	28 공격적인
02 우울한	11 좌절한	20 긴장을 푸는	29 이상한
03 경멸하는	12 신중한	21 탐욕스러운	30 사려깊은
04 회의적인	13 아부하는	22 붐비는	31 무서운
05 고마워하는	14 지루한	23 우울한	32 어두운
06 평화로운	15 절망적인	24 절망한	33 소심한
07 혼란스러워하는	16 야망있는	25 우울하게 만드는	34 관심있어 하는
08 당황스러운	17 분석적인	26 감명을 받은	35 시끄러운
09 격려하는	18 단호한	27 헌신적인	

Review Test

☑ 다음 영단어의 뜻을 우리말로 쓰시오.

01 skeptical .... 19 noisy ....

02 greedy .... 20 festive ....

03 encouraging .... 21 analytic ....

04 impressed .... 22 frustrated ....

05 wearisome .... 23 lively ....

06 flattering .... 24 resolute ....

07 dark .... 25 despairing ....

08 scornful .... 26 ambitious ....

09 depressing .... 27 melancholy ....

10 desperate .... 28 crowded ....

11 horrible .... 29 considerate ....

12 devoted .... 30 gloomy ....

13 odd .... 31 bewildered ....

14 prudent .... 32 timid ....

15 thankful .... 33 impatient ....

16 peaceful .... 34 confused ....

17 aggressive .... 35 interested ....

18 relaxed ....

정답

01 회의적인	10 절망한	19 시끄러운	28 봄비는
02 탐욕스러운	11 무서운	20 축제의	29 사려깊은
03 격려하는	12 헌신적인	21 분석적인	30 우울한
04 감명을 받은	13 이상한	22 좌절한	31 당황스러운
05 지루한	14 신중한	23 활기찬	32 소심한
06 아부하는	15 고마워하는	24 단호한	33 조바심 내는
07 어두운	16 평화로운	25 절망적인	34 혼란스러워하는
08 경멸하는	17 공격적인	26 야망있는	35 관심있어 하는
09 우울하게 만드는	18 긴장을 푸는	27 우울한	

463	**distracting** [디스트렉팅]	마음을 산란케 하는
464	**blessed** [블레스트]	축복받은
465	**tense** [텐스]	긴장된
466	**vivid** [비비드]	생기있는
467	**delighted** [딜라이티드]	기뻐하는
468	**inspiring** [인스파이어링]	영감을 주는
469	**uneasy** [언이지]	불안한

470	**lonesome** [론섬]	외로운
471	**argumentative** [아규멘터티브]	논쟁적인
472	**ashamed** [어쉐임드]	부끄러워하는
473	**idle** [아이들]	게으른
474	**jealous** [젤러스]	질투하는
475	**courageous** [커레이저스]	용감한
476	**discouraged** [디스커리쥐드]	낙심한

477	**striking** [스트라이킹]	인상적인
478	**reckless** [레클리스]	무모한
479	**tragic** [트래쥑]	비극의
480	**promising** [프라미싱]	유망한
481	**nostalgic** [너스탤쥑]	옛날을 그리워하는
482	**touched** [터취트]	감동받은
483	**objective** [어브젝티브]	객관적인

484	**impressive** [임프레시브]	감동적인
485	**grateful** [그레이트풀]	감사하는
486	**joyful** [조이풀]	기쁜
487	**selfless** [셀플리스]	이타적인
488	**encouraged** [인커리쥐드]	용기를 얻은
489	**perplexed** [퍼플렉스트]	당황한
490	**solemn** [살럼]	진지한

491	reserved [리저브드]	내성적인
492	cozy [코지]	포근한
493	pessimistic [페시미스틱]	비관적인
494	merry [메리]	명랑한
495	moving [무빙]	감동적인
496	social [소셜]	사교적인
497	astonishing [어스타니슁]	놀라운

Review Test

☑ 다음 영단어의 뜻을 우리말로 쓰시오.

01 lonesome		19 joyful	
02 discouraged		20 reserved	
03 promising		21 delighted	
04 argumentative		22 idle	
05 perplexed		23 astonishing	
06 vivid		24 distracting	
07 courageous		25 merry	
08 cozy		26 pessimistic	
09 selfless		27 encouraged	
10 striking		28 grateful	
11 inspiring		29 moving	
12 uneasy		30 tense	
13 jealous		31 tragic	
14 impressive		32 reckless	
15 social		33 blessed	
16 ashamed		34 touched	
17 nostalgic		35 solemn	
18 objective			

정답

01 외로운	10 인상적인	19 기쁜	28 감사하는
02 낙심한	11 영감을 주는	20 내성적인	29 감동적인
03 유망한	12 불안한	21 기뻐하는	30 긴장된
04 논쟁적인	13 질투하는	22 게으른	31 비극의
05 당황한	14 감동적인	23 놀라운	32 무모한
06 생기있는	15 사교적인	24 마음을 산란케 하는	33 축복받은
07 용감한	16 부끄러워하는	25 명랑한	34 감동받은
08 포근한	17 옛날을 그리워하는	26 비관적인	35 진지한
09 이타적인	18 객관적인	27 용기를 얻은	

Review Test

☑ 다음 영단어의 뜻을 우리말로 쓰시오.

01 argumentative		19 solemn	
02 reckless		20 astonishing	
03 joyful		21 striking	
04 blessed		22 lonesome	
05 tense		23 cozy	
06 touched		24 merry	
07 encouraged		25 promising	
08 distracting		26 perplexed	
09 uneasy		27 moving	
10 vivid		28 jealous	
11 idle		29 inspiring	
12 selfless		30 ashamed	
13 discouraged		31 delighted	
14 courageous		32 tragic	
15 grateful		33 pessimistic	
16 impressive		34 reserved	
17 social		35 nostalgic	
18 objective			

정답

01 논쟁적인	10 생기있는	19 진지한	28 질투하는
02 무모한	11 게으른	20 놀라운	29 영감을 주는
03 기쁜	12 이타적인	21 인상적인	30 부끄러워하는
04 축복받은	13 낙심한	22 외로운	31 기뻐하는
05 긴장된	14 용감한	23 포근한	32 비극의
06 감동받은	15 감사하는	24 명랑한	33 비관적인
07 용기를 얻은	16 감동적인	25 유망한	34 내성적인
08 마음을 산란케 하는	17 사교적인	26 당황한	35 옛날을 그리워하는
09 불안한	18 객관적인	27 감동적인	

Review Test

다음 영단어의 뜻을 우리말로 쓰시오.

01 encouraged

02 impressive

03 idle

04 selfless

05 pessimistic

06 objective

07 tragic

08 cozy

09 uneasy

10 nostalgic

11 blessed

12 courageous

13 inspiring

14 astonishing

15 argumentative

16 delighted

17 joyful

18 lonesome

19 tense

20 moving

21 promising

22 perplexed

23 grateful

24 ashamed

25 social

26 reserved

27 striking

28 vivid

29 solemn

30 distracting

31 jealous

32 discouraged

33 touched

34 reckless

35 merry

정답
01 용기를 얻은	10 옛날을 그리워하는	19 긴장된	28 생기있는
02 감동적인	11 축복받은	20 감동적인	29 진지한
03 게으른	12 용감한	21 유망한	30 마음을 산란케 하는
04 이타적인	13 영감을 주는	22 당황한	31 질투하는
05 비관적인	14 놀라운	23 감사하는	32 낙심한
06 객관적인	15 논쟁적인	24 부끄러워하는	33 감동받은
07 비극의	16 기뻐하는	25 사교적인	34 무모한
08 포근한	17 기쁜	26 내성적인	35 명랑한
09 불안한	18 외로운	27 인상적인	

498	**flattered** [플래터드]	아첨하는
499	**courteous** [커티어스]	예의바른
500	**panic** [패닉]	공포에 질린
501	**irritated** [이러테이티드]	짜증이 난
502	**heartbroken** [하트브로큰]	비통해하는
503	**calm** [캄]	침착한
504	**cynical** [시니컬]	냉소적인

505	**awful** [오풀]	끔찍한
506	**deserted** [디저티드]	버려진
507	**shocked** [샥트]	충격을 받은
508	**hostile** [하스틀]	적대적인
509	**urgent** [어전트]	긴박한
510	**informative** [인포머티브]	유익한
511	**nervous** [너버스]	불안해 하는

512	**dissatisfied** [디새티스파이드]	불만스러워하는
513	**cruel** [크루얼]	잔인한
514	**cunning** [커닝]	교활한
515	**eloquent** [엘러퀀트]	유창한
516	**boring** [보어링]	지루한
517	**breathtaking** [브레뜨테이킹]	아슬아슬한
518	**benevolent** [버네벌런트]	자애로운

519	uncomfortable [언컴포터블]	불편한
520	overjoyed [오버조이드]	매우 기뻐하는
521	furious [퓨리어스]	성난
522	passive [패시브]	수동적인
523	magical [매쥐컬]	마법같은
524	envious [엔비어스]	시기하는
525	pitiful [피티풀]	측은한

526	determined [디터민드]	단호한
527	adventurous [어드벤처러스]	모험적인
528	affectionate [어펙셔니트]	다정한
529	tranquil [트랜퀼]	조용한
530	disappointing [디서포인팅]	실망스러운
531	prophetic [프러페틱]	예언적인
532	reluctant [릴럭턴트]	꺼려하는

Review Test

☑ 다음 영단어의 뜻을 우리말로 쓰시오.

01 determined	19 overjoyed
02 uncomfortable	20 prophetic
03 passive	21 tranquil
04 nervous	22 adventurous
05 dissatisfied	23 irritated
06 disappointing	24 courteous
07 cynical	25 panic
08 calm	26 awful
09 reluctant	27 eloquent
10 affectionate	28 benevolent
11 urgent	29 cunning
12 furious	30 cruel
13 deserted	31 heartbroken
14 hostile	32 magical
15 informative	33 flattered
16 boring	34 breathtaking
17 envious	35 pitiful
18 shocked	

정답

01 단호한	10 다정한	19 매우 기뻐하는	28 자애로운
02 불편한	11 긴박한	20 예언적인	29 교활한
03 수동적인	12 성난	21 조용한	30 잔인한
04 불안해 하는	13 버려진	22 모험적인	31 비통해하는
05 불만스러워하는	14 적대적인	23 짜증이 난	32 마법같은
06 실망스러운	15 유익한	24 예의바른	33 아첨하는
07 냉소적인	16 지루한	25 공포에 질린	34 아슬아슬한
08 침착한	17 시기하는	26 끔찍한	35 측은한
09 꺼려하는	18 충격을 받은	27 유창한	

Review Test ───────────

☑ 다음 영단어의 뜻을 우리말로 쓰시오.

01 heartbroken		19 determined	
02 pitiful		20 calm	
03 irritated		21 reluctant	
04 passive		22 cynical	
05 deserted		23 cunning	
06 shocked		24 furious	
07 prophetic		25 cruel	
08 eloquent		26 flattered	
09 hostile		27 envious	
10 boring		28 panic	
11 overjoyed		29 dissatisfied	
12 benevolent		30 awful	
13 courteous		31 nervous	
14 magical		32 tranquil	
15 urgent		33 affectionate	
16 informative		34 breathtaking	
17 uncomfortable		35 adventurous	
18 disappointing			

정답
01 비통해하는	10 지루한	19 단호한	28 공포에 질린
02 측은한	11 매우 기뻐하는	20 침착한	29 불만스러워하는
03 짜증이 난	12 자애로운	21 꺼려하는	30 끔찍한
04 수동적인	13 예의바른	22 냉소적인	31 불안해 하는
05 버려진	14 마법같은	23 교활한	32 조용한
06 충격을 받은	15 긴박한	24 성난	33 다정한
07 예언적인	16 유익한	25 잔인한	34 아슬아슬한
08 유창한	17 불편한	26 아첨하는	35 모험적인
09 적대적인	18 실망스러운	27 시기하는	

Review Test

☑ 다음 영단어의 뜻을 우리말로 쓰시오.

01 overjoyed		19 affectionate	
02 determined		20 urgent	
03 prophetic		21 tranquil	
04 heartbroken		22 courteous	
05 passive		23 reluctant	
06 uncomfortable		24 irritated	
07 adventurous		25 deserted	
08 calm		26 eloquent	
09 magical		27 panic	
10 shocked		28 hostile	
11 awful		29 disappointing	
12 furious		30 benevolent	
13 informative		31 envious	
14 cunning		32 cruel	
15 dissatisfied		33 flattered	
16 breathtaking		34 nervous	
17 pitiful		35 cynical	
18 boring			

정답
01 매우 기뻐하는	10 충격을 받은	19 다정한	28 적대적인
02 단호한	11 끔찍한	20 긴박한	29 실망스러운
03 예언적인	12 성난	21 조용한	30 자애로운
04 비통해하는	13 유익한	22 예의바른	31 시기하는
05 수동적인	14 교활한	23 꺼려하는	32 잔인한
06 불편한	15 불만스러워하는	24 짜증이 난	33 아첨하는
07 모험적인	16 아슬아슬한	25 버려진	34 불안해 하는
08 침착한	17 측은한	26 유창한	35 냉소적인
09 마법같은	18 지루한	27 공포에 질린	

533	sorrowful [소로풀]	슬픈

534	excited [익사이티드]	신이 난

535	paradoxical [패러닥시컬]	역설적인

536	narrow-minded [내로마인디드]	편협한

537	persuasive [퍼수웨이시브]	설득력 있는

538	dull [덜]	따분한

539	negative [네거티브]	부정적인

540	satisfied [새티스파이드]	만족스러운
541	touching [터칭]	감동적인
542	conservative [컨서버티브]	보수적인
543	appreciative [어프리셔티브]	감사하는
544	natural [내츄럴]	자연스러운
545	humble [험블]	겸손한
546	scared [스케어드]	겁먹은

547	**romantic** [로맨틱]	낭만적인
548	**anxious** [앵크셔스]	걱정하는
549	**refreshed** [리프레쉬트]	상쾌한
550	**weird** [위어드]	이상한
551	**expectant** [익스펜턴트]	기대하는
552	**instructive** [인스트럭티브]	교육적인
553	**satirical** [서티리컬]	풍자적인

554	**exotic** [이그자틱]	이국적인
555	**heroic** [허로익]	투지 넘치는
556	**fearful** [피어풀]	무서운
557	**neglected** [니글렉티드]	방치된
558	**tedious** [티디어스]	지루한
559	**shameful** [쉐임풀]	부끄러워하는
560	**fascinated** [페시네이티드]	매료된

561	**apathetic** [애퍼떼틱]	무관심한
562	**sentimental** [센티멘털]	감상적인
563	**attractive** [어트랙티브]	매력적인
564	**terrified** [테러파이드]	무서워하는
565	**agitated** [애지테이티드]	불안해하는
566	**puzzled** [퍼즐드]	어리둥절해하는
567	**cheerful** [취어풀]	쾌활한

Review Test

☑ 다음 영단어의 뜻을 우리말로 쓰시오.

01 paradoxical		19 touching	
02 dull		20 negative	
03 romantic		21 sorrowful	
04 satisfied		22 conservative	
05 persuasive		23 shameful	
06 fearful		24 exotic	
07 apathetic		25 excited	
08 neglected		26 expectant	
09 cheerful		27 humble	
10 natural		28 scared	
11 anxious		29 tedious	
12 attractive		30 puzzled	
13 narrow-minded		31 refreshed	
14 heroic		32 appreciative	
15 weird		33 terrified	
16 agitated		34 fascinated	
17 sentimental		35 satirical	
18 instructive			

정답
01 역설적인	10 자연스러운	19 감동적인	28 겁먹은
02 따분한	11 걱정하는	20 부정적인	29 지루한
03 낭만적인	12 매력적인	21 슬픈	30 어리둥절해하는
04 만족스러운	13 편협한	22 보수적인	31 상쾌한
05 설득력 있는	14 투지 넘치는	23 부끄러워하는	32 감사하는
06 무서운	15 이상한	24 이국적인	33 무서워하는
07 무관심한	16 불안해하는	25 신이 난	34 매료된
08 방치된	17 감상적인	26 기대하는	35 풍자적인
09 쾌활한	18 교육적인	27 겸손한	

Review Test ———————————

☑️ 다음 영단어의 뜻을 우리말로 쓰시오.

01 terrified   19 touching

02 humble   20 tedious

03 appreciative   21 dull

04 satirical   22 negative

05 scared   23 expectant

06 refreshed   24 fearful

07 satisfied   25 paradoxical

08 heroic   26 instructive

09 romantic   27 conservative

10 fascinated   28 anxious

11 agitated   29 attractive

12 exotic   30 neglected

13 apathetic   31 cheerful

14 weird   32 narrow-minded

15 sorrowful   33 puzzled

16 shameful   34 excited

17 persuasive   35 sentimental

18 natural

정답

01 무서워하는	10 매료된	19 감동적인	28 걱정하는
02 겸손한	11 불안해하는	20 지루한	29 매력적인
03 감사하는	12 이국적인	21 따분한	30 방치된
04 풍자적인	13 무관심한	22 부정적인	31 쾌활한
05 겁먹은	14 이상한	23 기대하는	32 편협한
06 상쾌한	15 슬픈	24 무서운	33 어리둥절해하는
07 만족스러운	16 부끄러워하는	25 역설적인	34 신이 난
08 투지 넘치는	17 설득력 있는	26 교육적인	35 감상적인
09 낭만적인	18 자연스러운	27 보수적인	

☑ 다음 영단어의 뜻을 우리말로 쓰시오.

01 instructive		19 attractive	
02 weird		20 anxious	
03 apathetic		21 agitated	
04 conservative		22 natural	
05 sorrowful		23 romantic	
06 neglected		24 scared	
07 puzzled		25 fascinated	
08 dull		26 shameful	
09 exotic		27 excited	
10 satisfied		28 satirical	
11 refreshed		29 negative	
12 paradoxical		30 cheerful	
13 tedious		31 heroic	
14 terrified		32 expectant	
15 narrow-minded		33 persuasive	
16 fearful		34 sentimental	
17 appreciative		35 humble	
18 touching			

정답

01 교육적인	10 만족스러운	19 매력적인	28 풍자적인
02 이상한	11 상쾌한	20 걱정하는	29 부정적인
03 무관심한	12 역설적인	21 불안해하는	30 쾌활한
04 보수적인	13 지루한	22 자연스러운	31 투지 넘치는
05 슬픈	14 무서워하는	23 낭만적인	32 기대하는
06 방치된	15 편협한	24 겁먹은	33 설득력 있는
07 어리둥절해하는	16 무서운	25 매료된	34 감상적인
08 따분한	17 감사하는	26 부끄러워하는	35 겸손한
09 이국적인	18 감동적인	27 신이 난	

DAY 20 분위기 / 심경

568	selfish [셀피쉬]	이기적인
569	uncertain [언서튼]	불확실한
570	doubtful [다우트풀]	의심스러운
571	lost [로스트]	길을 잃은
572	hopeless [호플리스]	희망이 없는
573	upset [업셋]	속상한
574	amazed [어메이즈드]	놀란

575	**uninterested** [언인터레스티드]	무관심한
576	**optimistic** [압티미스틱]	낙관적인
577	**contemptuous** [컨템추어스]	경멸하는
578	**boastful** [보스트풀]	자랑하는
579	**silent** [사일런트]	고요한
580	**disciplined** [디서플린드]	훈련이 잘 된
581	**indifferent** [인디퍼런트]	무관심한

582	**depressed** [디프레스트]	우울한
583	**sympathetic** [심퍼떼틱]	동정하는
584	**outraged** [아웃레이쥐드]	분노한
585	**brave** [브레이브]	용감한
586	**stern** [스턴]	엄격한
587	**positive** [파저티브]	긍정적인
588	**dynamic** [다이내믹]	역동적인

589	**unexpected** [언익스펙티드]	예상 밖의
590	**moral** [모럴]	도덕적인
591	**helpless** [헬플리스]	무기력한
592	**earnest** [어니스트]	진심어린
593	**hesitant** [헤저턴트]	망설이는
594	**confessional** [컨페셔널]	고백의
595	**poetic** [포에틱]	시적인

596	ironic [아이라닉]	풍자적인
597	plain [플레인]	솔직한
598	dreadful [드레드풀]	무서운
599	explanatory [익스플래너토리]	설명적인
600	zealous [젤러스]	열정적인
601	frightened [프라이튼드]	겁먹은
602	thoughtful [또트풀]	사려깊은

Review Test

☑️ 다음 영단어의 뜻을 우리말로 쓰시오.

01 hopeless		19 upset	
02 uninterested		20 thoughtful	
03 lost		21 depressed	
04 plain		22 doubtful	
05 helpless		23 selfish	
06 earnest		24 amazed	
07 indifferent		25 dynamic	
08 moral		26 stern	
09 explanatory		27 boastful	
10 zealous		28 uncertain	
11 unexpected		29 poetic	
12 contemptuous		30 optimistic	
13 sympathetic		31 frightened	
14 dreadful		32 silent	
15 disciplined		33 ironic	
16 outraged		34 positive	
17 confessional		35 hesitant	
18 brave			

정답

01 희망이 없는	10 열정적인	19 속상한	28 불확실한
02 무관심한	11 예상 밖의	20 사려깊은	29 시적인
03 길을 잃은	12 경멸하는	21 우울한	30 낙관적인
04 솔직한	13 동정하는	22 의심스러운	31 겁먹은
05 무기력한	14 무서운	23 이기적인	32 고요한
06 진심어린	15 훈련이 잘 된	24 놀란	33 풍자적인
07 무관심한	16 분노한	25 역동적인	34 긍정적인
08 도덕적인	17 고백의	26 엄격한	35 망설이는
09 설명적인	18 용감한	27 자랑하는	

Review Test

☑ 다음 영단어의 뜻을 우리말로 쓰시오.

01 optimistic		19 unexpected	
02 sympathetic		20 disciplined	
03 brave		21 doubtful	
04 indifferent		22 boastful	
05 moral		23 upset	
06 contemptuous		24 earnest	
07 helpless		25 uninterested	
08 hesitant		26 positive	
09 plain		27 thoughtful	
10 amazed		28 uncertain	
11 explanatory		29 confessional	
12 depressed		30 dreadful	
13 frightened		31 stern	
14 zealous		32 outraged	
15 poetic		33 ironic	
16 dynamic		34 silent	
17 hopeless		35 lost	
18 selfish			

정답
01 낙관적인	10 놀란	19 예상 밖의	28 불확실한
02 동정하는	11 설명적인	20 훈련이 잘 된	29 고백의
03 용감한	12 우울한	21 의심스러운	30 무서운
04 무관심한	13 겁먹은	22 자랑하는	31 엄격한
05 도덕적인	14 열정적인	23 속상한	32 분노한
06 경멸하는	15 시적인	24 진심어린	33 풍자적인
07 무기력한	16 역동적인	25 무관심한	34 고요한
08 망설이는	17 희망이 없는	26 긍정적인	35 길을 잃은
09 솔직한	18 이기적인	27 사려깊은	

Review Test

☑ 다음 영단어의 뜻을 우리말로 쓰시오.

01 dynamic		19 explanatory	
02 outraged		20 depressed	
03 amazed		21 ironic	
04 indifferent		22 boastful	
05 poetic		23 helpless	
06 thoughtful		24 plain	
07 moral		25 disciplined	
08 lost		26 zealous	
09 selfish		27 hopeless	
10 positive		28 earnest	
11 frightened		29 unexpected	
12 stern		30 upset	
13 hesitant		31 uncertain	
14 contemptuous		32 sympathetic	
15 optimistic		33 doubtful	
16 dreadful		34 brave	
17 uninterested		35 silent	
18 confessional			

정답
01 역동적인	10 긍정적인	19 설명적인	28 진심어린
02 분노한	11 겁먹은	20 우울한	29 예상 밖의
03 놀란	12 엄격한	21 풍자적인	30 속상한
04 무관심한	13 망설이는	22 자랑하는	31 불확실한
05 시적인	14 경멸하는	23 무기력한	32 동정하는
06 사려깊은	15 낙관적인	24 솔직한	33 의심스러운
07 도덕적인	16 무서운	25 훈련이 잘 된	34 용감한
08 길을 잃은	17 무관심한	26 열정적인	35 고요한
09 이기적인	18 고백의	27 희망이 없는	

603	
more than A	A 이상

604	
temporary	일시적인

605	
from A to B	A에서 B까지

606	
make up	차지하다

607	
that	앞에 나온 단수명사를 지칭

608	
peak	최고치

609	
weekday	평일

610	for each	각각

611	higher than A	A보다 높은

612	three fifths	5분의 3

613	sum	총계

614	those	앞에 나온 복수명사를 지칭

615	certain	특정한

616	as seen	보이는 것처럼

617	
take fifth place	5위를 하다

618	
remain the same as A	A와 같다

619	
rate	비율

620	
be less likely to A	A할 가능성이 가장 적다

621	
be kept under A	A미만으로 유지되다

622	
while	반면에

623	
weekend	주말

624	total	전체의
625	decline	감소하다
626	remain under 2%	2% 미만에 머무르다
627	combined	합쳐진
628	tendency	경향
629	slightly	약간
630	a few times	몇 번

631	
six times larger than A	A보다 6배 큰

632	
stable	안정적인

633	
drastically	급격하게

634	
respondent	응답자

635	
mortgage	주택 담보 대출

636	
at the top of the list	1위이다

637	
pie chart	원모양 도표

Review Test

☑️ 다음 영단어의 뜻을 우리말로 쓰시오.

01 as seen	19 those
02 six times larger than A	20 respondent
03 more than A	21 for each
04 mortgage	22 at the top of the list
05 three fifths	23 weekend
06 tendency	24 slightly
07 remain the same as A	25 higher than A
08 weekday	26 drastically
09 certain	27 rate
10 stable	28 sum
11 temporary	29 peak
12 that	30 remain under 2%
13 total	31 make up
14 be kept under A	32 from A to B
15 a few times	33 while
16 pie chart	34 decline
17 combined	35 be less likely to A
18 take fifth place	

정답
01 보이는 것처럼
02 A보다 6배 큰
03 A 이상
04 주택 담보 대출
05 5분의 3
06 경향
07 A와 같다
08 평일
09 특정한
10 안정적인
11 일시적인
12 앞에 나온 단수명사를 지칭
13 전체의
14 A미만으로 유지되다
15 몇 번
16 원모양 도표
17 합쳐진
18 5위를 하다
19 앞에 나온 복수명사를 지칭
20 응답자
21 각각
22 1위이다
23 주말
24 약간
25 A보다 높은
26 급격하게
27 비율
28 총계
29 최고치
30 2% 미만에 머무르다
31 차지하다
32 A에서 B까지
33 반면에
34 감소하다
35 A할 가능성이 가장 적다

Review Test

☑ 다음 영단어의 뜻을 우리말로 쓰시오.

01 for each

02 as seen

03 be less likely to A

04 higher than A

05 slightly

06 make up

07 certain

08 stable

09 combined

10 take fifth place

11 peak

12 weekday

13 those

14 total

15 at the top of the list

16 three fifths

17 be kept under A

18 weekend

19 remain under 2%

20 six times larger than A

21 that

22 sum

23 pie chart

24 more than A

25 respondent

26 drastically

27 tendency

28 decline

29 mortgage

30 from A to B

31 rate

32 remain the same as A

33 temporary

34 while

35 a few times

정답

01 각각	10 5위를 하다	19 2% 미만에 머무르다	28 감소하다
02 보이는 것처럼	11 최고치	20 A보다 6배 큰	29 주택 담보 대출
03 A할 가능성이 가장 적다	12 평일	21 앞에 나온 단수명사를 지칭	30 A에서 B까지
04 A보다 높은	13 앞에 나온 복수명사를 지칭	22 총계	31 비율
05 약간	14 전체의	23 원모양 도표	32 A와 같다
06 차지하다	15 1위이다	24 A 이상	33 일시적인
07 특정한	16 5분의 3	25 응답자	34 반면에
08 안정적인	17 A미만으로 유지되다	26 급격하게	35 몇 번
09 합쳐진	18 주말	27 경향	

Review Test

☑ 다음 영단어의 뜻을 우리말로 쓰시오.

01 higher than A	19 a few times
02 remain the same as A	20 pie chart
03 remain under 2%	21 take fifth place
04 those	22 for each
05 from A to B	23 stable
06 while	24 respondent
07 tendency	25 be less likely to A
08 more than A	26 slightly
09 weekday	27 mortgage
10 make up	28 temporary
11 sum	29 peak
12 combined	30 three fifths
13 as seen	31 certain
14 that	32 rate
15 decline	33 drastically
16 total	34 six times larger than A
17 at the top of the list	35 be kept under A
18 weekend	

정답
01 A보다 높은	10 차지하다	19 몇 번	28 일시적인
02 A와 같다	11 총계	20 원모양 도표	29 최고치
03 2% 미만에 머무르다	12 합쳐진	21 5위를 하다	30 5분의 3
04 앞에 나온 복수명사를 지칭	13 보이는 것처럼	22 각각	31 특정한
05 A에서 B까지	14 앞에 나온 단수명사를 지칭	23 안정적인	32 비율
06 반면에	15 감소하다	24 응답자	33 급격하게
07 경향	16 전체의	25 A할 가능성이 가장 적다	34 A보다 6배 큰
08 A 이상	17 1위이다	26 약간	35 A미만으로 유지되다
09 평일	18 주말	27 주택 담보 대출	

638

regardless of

~와 상관없이

639

indicate

나타내다

640

double digits

두 자리 숫자

641

a half

2분의 1

642

three quarters

4분의 3

643

preference

선호

644

show a recovery

회복을 보이다

645	
as far as A is concerned	A에 관한 한

646	
the following four years	다음 4년

647	
export	수출

648	
million	백만

649	
the former	전자

650	
conduct	수행하다

651	
rank in the last place	꼴지를 하다

652		
billion		십억

653		
slump		일시적 감소

654		
contribute		기여하다

655		
narrow		좁히다

656		
be close behind A		A 바로 뒤에 온다

657		
prior to		~전에

658		
except (for)		~을 제외하고

659	
below	~아래에

660	
by	~까지

661	
roughly	대략

662	
represent	나타내다

663	
those aged	~나이의 사람들

664	
A to B	A에서 B까지

665	
toward(s)	~에 대하여

666 take up the fourth place	4위를 하다
667 tie for second place	공동 2위를 하다
668 yearly	해마다
669 category	범주
670 a quarter	4분의 1
671 surpass	넘어서다
672 chart	표

Review Test

☑️ 다음 영단어의 뜻을 우리말로 쓰시오.

01 take up the fourth place _____

02 below _____

03 represent _____

04 rank in the last place _____

05 billion _____

06 a quarter _____

07 show a recovery _____

08 preference _____

09 chart _____

10 yearly _____

11 the former _____

12 roughly _____

13 the following four years _____

14 million _____

15 conduct _____

16 be close behind A _____

17 A to B _____

18 export _____

19 by _____

20 surpass _____

21 category _____

22 tie for second place _____

23 a half _____

24 indicate _____

25 double digits _____

26 as far as A is concerned _____

27 narrow _____

28 except (for) _____

29 contribute _____

30 slump _____

31 three quarters _____

32 those aged _____

33 regardless of _____

34 prior to _____

35 toward(s) _____

정답
01 4위를 하다
02 ~아래에
03 나타내다
04 꼴지를 하다
05 십억
06 4분의 1
07 회복을 보이다
08 선호
09 표

10 해마다
11 전자
12 대략
13 다음 4년
14 백만
15 수행하다
16 A 바로 뒤에 온다
17 A에서 B까지
18 수출

19 ~까지
20 넘어서다
21 범주
22 공동 2위를 하다
23 2분의 1
24 나타내다
25 두 자리 숫자
26 A에 관한 한
27 좁히다

28 ~을 제외하고
29 기여하다
30 일시적 감소
31 4분의 3
32 ~나이의 사람들
33 ~와 상관없이
34 ~전에
35 ~에 대하여

159

Review Test

☑ 다음 영단어의 뜻을 우리말로 쓰시오.

01 three quarters		19 take up the fourth place	
02 toward(s)		20 preference	
03 a half		21 chart	
04 represent		22 show a recovery	
05 the following four years		23 contribute	
06 export		24 roughly	
07 surpass		25 slump	
08 narrow		26 regardless of	
09 million		27 A to B	
10 be close behind A		28 double digits	
11 by		29 billion	
12 except (for)		30 as far as A is concerned	
13 indicate		31 rank in the last place	
14 those aged		32 category	
15 the former		33 yearly	
16 conduct		34 prior to	
17 below		35 tie for second place	
18 a quarter			

정답

01 4분의 3	10 A 바로 뒤에 온다	19 4위를 하다	28 두 자리 숫자
02 ~에 대하여	11 ~까지	20 선호	29 십억
03 2분의 1	12 ~을 제외하고	21 표	30 A에 관한 한
04 나타내다	13 나타내다	22 회복을 보이다	31 꼴지를 하다
05 다음 4년	14 ~나이의 사람들	23 기여하다	32 범주
06 수출	15 전자	24 대략	33 해마다
07 넘어서다	16 수행하다	25 일시적 감소	34 ~전에
08 좁히다	17 ~아래에	26 ~와 상관없이	35 공동 2위를 하다
09 백만	18 4분의 1	27 A에서 B까지	

Review Test

☑ 다음 영단어의 뜻을 우리말로 쓰시오.

01 by		19 yearly	
02 take up the fourth place		20 the former	
03 surpass		21 category	
04 three quarters		22 indicate	
05 represent		23 chart	
06 below		24 a half	
07 tie for second place		25 the following four years	
08 preference		26 narrow	
09 those aged		27 double digits	
10 export		28 million	
11 as far as A is concerned		29 a quarter	
12 roughly		30 except (for)	
13 conduct		31 A to B	
14 contribute		32 slump	
15 billion		33 regardless of	
16 prior to		34 rank in the last place	
17 toward(s)		35 show a recovery	
18 be close behind A			

정답

01 ~까지	10 수출	19 해마다	28 백만
02 4위를 하다	11 A에 관한 한	20 전자	29 4분의 1
03 넘어서다	12 대략	21 범주	30 ~을 제외하고
04 4분의 3	13 수행하다	22 나타내다	31 A에서 B까지
05 나타내다	14 기여하다	23 표	32 일시적 감소
06 ~아래에	15 십억	24 2분의 1	33 ~와 상관없이
07 공동 2위를 하다	16 ~전에	25 다음 4년	34 꼴지를 하다
08 선호	17 ~에 대하여	26 좁히다	35 회복을 보이다
09 ~나이의 사람들	18 A 바로 뒤에 온다	27 두 자리 숫자	

DAY 23 도표

673		
gross		총

674		
go beyond		넘어서다

675		
regarding		~에 관하여

676		
respectively		각각

677		
reach		도달하다

678		
jump		증가하다

679		
be expected to A		A할 것으로 기대되다

680		
	rise	증가하다

681		
	rank	순위를 차지하다

682		
	region	지역

683		
	around	대략

684		
	in contrast to A	A와는 대조적으로

685		
	continue to A	계속 A하다

686		
	sort	분류하다

687	
quarterly	분기마다

688	
within	~이내에

689	
corresponding	일치하는

690	
go up	증가하다

691	
steady	꾸준한

692	
recorded little change	거의 변화가 기록되지 않았다

693	
import	수입

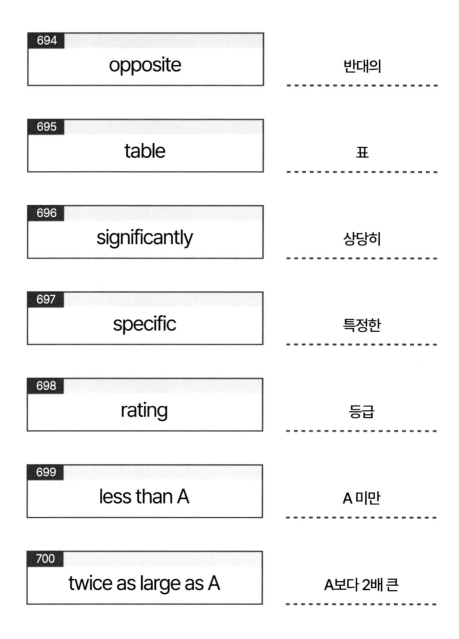

694	opposite	반대의
695	table	표
696	significantly	상당히
697	specific	특정한
698	rating	등급
699	less than A	A 미만
700	twice as large as A	A보다 2배 큰

701		
bar chart		막대 도표

702		
consider		여기다

703		
amenity		편의 서비스

704		
budget		예산

705		
decrease		감소하다

706		
comparison		비교

707		
the second 최상급		두 번째로 가장 ~한

Review Test

☑ 다음 영단어의 뜻을 우리말로 쓰시오.

01 regarding		19 rank	
02 jump		20 be expected to A	
03 quarterly		21 gross	
04 rise		22 region	
05 reach		23 less than A	
06 significantly		24 opposite	
07 bar chart		25 go beyond	
08 specific		26 steady	
09 the second 최상급		27 continue to A	
10 in contrast to A		28 sort	
11 within		29 rating	
12 amenity		30 comparison	
13 respectively		31 corresponding	
14 table		32 around	
15 go up		33 budget	
16 decrease		34 twice as large as A	
17 consider		35 import	
18 recorded little change			

정답

01 ~에 관하여	10 A와는 대조적으로	19 순위를 차지하다	28 분류하다
02 증가하다	11 ~이내에	20 A할 것으로 기대되다	29 등급
03 분기마다	12 편의 서비스	21 총	30 비교
04 증가하다	13 각각	22 지역	31 일치하는
05 도달하다	14 표	23 A 미만	32 대략
06 상당히	15 증가하다	24 반대의	33 예산
07 막대 도표	16 감소하다	25 넘어서다	34 A보다 2배 큰
08 특정한	17 여기다	26 꾸준한	35 수입
09 두 번째로 가장 ~한	18 거의 변화가 기록되지 않았다	27 계속 A하다	

Review Test ———————————

01 budget		19 rank	
02 continue to A		20 rating	
03 around		21 jump	
04 import		22 be expected to A	
05 sort		23 steady	
06 corresponding		24 significantly	
07 rise		25 regarding	
08 table		26 recorded little change	
09 quarterly		27 region	
10 twice as large as A		28 within	
11 decrease		29 amenity	
12 opposite		30 specific	
13 bar chart		31 the second 최상급	
14 go up		32 respectively	
15 gross		33 comparison	
16 less than A		34 go beyond	
17 reach		35 consider	
18 in contrast to A			

정답

01 예산	10 A보다 2배 큰	19 순위를 차지하다	28 ~이내에
02 계속 A하다	11 감소하다	20 등급	29 편의 서비스
03 대략	12 반대의	21 증가하다	30 특정한
04 수입	13 막대 도표	22 A할 것으로 기대되다	31 두 번째로 가장 ~한
05 분류하다	14 증가하다	23 꾸준한	32 각각
06 일치하는	15 총	24 상당히	33 비교
07 증가하다	16 A 미만	25 ~에 관하여	34 넘어서다
08 표	17 도달하다	26 거의 변화가 기록되지 않았다	35 여기다
09 분기마다	18 A와는 대조적으로	27 지역	

Review Test

☑ 다음 영단어의 뜻을 우리말로 쓰시오.

01 recorded little change		19 amenity	
02 go up		20 within	
03 bar chart		21 decrease	
04 region		22 in contrast to A	
05 gross		23 quarterly	
06 specific		24 sort	
07 comparison		25 twice as large as A	
08 jump		26 less than A	
09 opposite		27 go beyond	
10 rise		28 import	
11 corresponding		29 be expected to A	
12 regarding		30 the second 최상급	
13 rating		31 table	
14 budget		32 steady	
15 respectively		33 reach	
16 significantly		34 consider	
17 around		35 continue to A	
18 rank			

정답

01 거의 변화가 기록되지 않았다	10 증가하다	19 편의 서비스	28 수입
02 증가하다	11 일치하는	20 ~이내에	29 A할 것으로 기대되다
03 막대 도표	12 ~에 관하여	21 감소하다	30 두 번째로 가장 ~한
04 지역	13 등급	22 A와는 대조적으로	31 표
05 총	14 예산	23 분기마다	32 꾸준한
06 특정한	15 각각	24 분류하다	33 도달하다
07 비교	16 상당히	25 A보다 2배 큰	34 여기다
08 증가하다	17 대략	26 A 미만	35 계속 A하다
09 반대의	18 순위를 차지하다	27 넘어서다	

708	
prefer	선호하다

709	
the world's fourth -est	세계에서 4번째로 ~한

710	
as follows	다음과 같이

711	
stay fourth	4위에 머무르다

712	
rapid	빠른

713	
portion	부분

714	
just over 8%	8%를 조금 넘는

715		
quite		상당히
716		
about		대략
717		
compared to/with A		A와 비교하여
718		
daily		일일
719		
go down		감소하다
720		
the other four contries		나머지 4개 국가들
721		
leading		주요한

722	rank last	꼴지를 하다
723	followed by A	A가 그 뒤를 따르고 있다
724	by the smallest margin	가장 작은 차이로
725	almost	거의
726	income	소득
727	top five	상위 5개
728	A such as B	B같은 A

729	major	중요한
730	, whose	그리고 그것의(그 사람의)
731	consume	소비하다
732	similar	비슷한
733	minor	중요하지 않은
734	a sixth	6분의 1
735	fall	감소하다

736	
until	~까지

737	
with a gap of A	A의 차이를 가지고 있는

738	
fewer	더 적은

739	
whole	전체의

740	
the previous year	전년도

741	
those who	~한 사람들

742	
show ups and downs	오르내림을 보이다

Review Test

☑ 다음 영단어의 뜻을 우리말로 쓰시오.

01 rapid		19 portion	
02 quite		20 show ups and downs	
03 stay fourth		21 rank last	
04 with a gap of A		22 as follows	
05 consume		23 prefer	
06 similar		24 just over 8%	
07 leading		25 A such as B	
08 , whose		26 income	
09 whole		27 daily	
10 the previous year		28 the world's fourth -est	
11 major		29 fall	
12 compared to/with A		30 about	
13 followed by A		31 those who	
14 fewer		32 go down	
15 the other four contries		33 until	
16 by the smallest margin		34 top five	
17 a sixth		35 minor	
18 almost			

정답

01 빠른	10 전년도	19 부분	28 세계에서 4번째로 ~한
02 상당히	11 중요한	20 오르내림을 보이다	29 감소하다
03 4위에 머무르다	12 A와 비교하여	21 꼴지를 하다	30 대략
04 A의 차이를 가지고 있는	13 A가 그 뒤를 따르고 있다	22 다음과 같이	31 ~한 사람들
05 소비하다	14 더 적은	23 선호하다	32 감소하다
06 비슷한	15 나머지 4개 국가들	24 8%를 조금 넘는	33 ~까지
07 주요한	16 가장 작은 차이로	25 B같은 A	34 상위 5개
08 그리고 그것의(그 사람의)	17 6분의 1	26 소득	35 중요하지 않은
09 전체의	18 거의	27 일일	

175

Review Test

☑ 다음 영단어의 뜻을 우리말로 쓰시오.

01 about	19 major
02 followed by A	20 the other four contries
03 almost	21 as follows
04 leading	22 daily
05 , whose	23 portion
06 compared to/with A	24 similar
07 consume	25 quite
08 minor	26 top five
09 with a gap of A	27 show ups and downs
10 just over 8%	28 the world's fourth -est
11 whole	29 a sixth
12 rank last	30 fewer
13 those who	31 income
14 the previous year	32 by the smallest margin
15 fall	33 until
16 A such as B	34 go down
17 rapid	35 stay fourth
18 prefer	

정답
01 대략	10 8%를 조금 넘는	19 중요한	28 세계에서 4번째로 ~한
02 A가 그 뒤를 따르고 있다	11 전체의	20 나머지 4개 국가들	29 6분의 1
03 거의	12 꼴지를 하다	21 다음과 같이	30 더 적은
04 주요한	13 ~한 사람들	22 일일	31 소득
05 그리고 그것의(그 사람의)	14 전년도	23 부분	32 가장 작은 차이로
06 A와 비교하여	15 감소하다	24 비슷한	33 ~까지
07 소비하다	16 B같은 A	25 상당히	34 감소하다
08 중요하지 않은	17 빠른	26 상위 5개	35 4위에 머무르다
09 A의 차이를 가지고 있는	18 선호하다	27 오르내림을 보이다	

Review Test

☑ 다음 영단어의 뜻을 우리말로 쓰시오.

01 A such as B

02 by the smallest margin

03 just over 8%

04 leading

05 fall

06 show ups and downs

07 , whose

08 stay fourth

09 prefer

10 top five

11 those who

12 followed by A

13 minor

14 compared to/with A

15 about

16 fewer

17 quite

18 a sixth

19 whole

20 rank last

21 until

22 daily

23 the world's fourth -est

24 with a gap of A

25 the other four contries

26 the previous year

27 rapid

28 similar

29 major

30 portion

31 consume

32 income

33 as follows

34 almost

35 go down

743	
approximate	근접하다

744	
purpose	목적

745	
keep -ing	계속 ~하다

746	
dramatically	급격하게

747	
the shaded area	음영된 부분

748	
outnumber	~보다 수가 더 많다

749	
feature	특징

750	
preceded by A	A가 앞서고 있다

751	
A is second to none	A가 1위이다

752	
female	여성

753	
constant	꾸준한

754	
decade	10년

755	
distinctly	명백히

756	
consistent	꾸준한

757	
mode	방식

758	
be ranked the third	3위를 하다

759	
A and B together	A와 B 합쳐서

760	
increase	증가하다

761	
gradually	점진적으로

762	
one out of ten	10개중 1개

763	
kind	종류

764		
annual		해마다의

765		
continuously		꾸준히

766		
by the largest margin		가장 큰 차이로

767		
be most likely to A		A할 가능성이 가장 크다

768		
relatively		상대적으로

769		
as for		~에 있어서

770		
transportation		교통

771		
	track	쫓아가다

772		
	reverse	뒤집다

773		
	unchanged	변화가 없는

774		
	persistently	꾸준히

775		
	widely	널리

776		
	per	~마다

777		
	gap	차이

Review Test

☑️ 다음 영단어의 뜻을 우리말로 쓰시오.

01 consistent		19 decade	
02 track		20 persistently	
03 approximate		21 preceded by A	
04 widely		22 per	
05 female		23 kind	
06 relatively		24 as for	
07 be ranked the third		25 A is second to none	
08 feature		26 unchanged	
09 distinctly		27 A and B together	
10 reverse		28 constant	
11 purpose		29 outnumber	
12 the shaded area		30 by the largest margin	
13 annual		31 dramatically	
14 gradually		32 keep -ing	
15 transportation		33 one out of ten	
16 gap		34 continuously	
17 be most likely to A		35 increase	
18 mode			

정답

01 꾸준한	10 뒤집다	19 10년	28 꾸준한
02 쫓아가다	11 목적	20 꾸준히	29 ~보다 수가 더 많다
03 근접하다	12 음영된 부분	21 A가 앞서고 있다	30 가장 큰 차이로
04 널리	13 해마다의	22 ~마다	31 급격하게
05 여성	14 점진적으로	23 종류	32 계속 ~하다
06 상대적으로	15 교통	24 ~에 있어서	33 10개중 1개
07 3위를 하다	16 차이	25 A가 1위이다	34 꾸준히
08 특징	17 A할 가능성이 가장 크다	26 변화가 없는	35 증가하다
09 명백히	18 방식	27 A와 B 합쳐서	

Review Test

☑ 다음 영단어의 뜻을 우리말로 쓰시오.

01 preceded by A	19 by the largest margin
02 consistent	20 track
03 increase	21 the shaded area
04 A is second to none	22 constant
05 as for	23 gap
06 dramatically	24 approximate
07 distinctly	25 persistently
08 reverse	26 unchanged
09 be most likely to A	27 relatively
10 mode	28 continuously
11 outnumber	29 widely
12 feature	30 keep -ing
13 decade	31 A and B together
14 annual	32 be ranked the third
15 per	33 purpose
16 female	34 one out of ten
17 gradually	35 transportation
18 kind	

정답

01 A가 앞서고 있다	10 방식	19 가장 큰 차이로	28 꾸준히
02 꾸준한	11 ~보다 수가 더 많다	20 쫓아가다	29 널리
03 증가하다	12 특징	21 음영된 부분	30 계속 ~하다
04 A가 1위이다	13 10년	22 꾸준한	31 A와 B 합쳐서
05 ~에 있어서	14 해마다의	23 차이	32 3위를 하다
06 급격하게	15 ~마다	24 근접하다	33 목적
07 명백히	16 여성	25 꾸준히	34 10개중 1개
08 뒤집다	17 점진적으로	26 변화가 없는	35 교통
09 A할 가능성이 가장 크다	18 종류	27 상대적으로	

Review Test

☑️ 다음 영단어의 뜻을 우리말로 쓰시오.

01 A is second to none	19 transportation
02 be ranked the third	20 gap
03 by the largest margin	21 mode
04 purpose	22 preceded by A
05 keep -ing	23 reverse
06 one out of ten	24 persistently
07 relatively	25 increase
08 approximate	26 as for
09 feature	27 widely
10 dramatically	28 decade
11 constant	29 outnumber
12 be most likely to A	30 female
13 consistent	31 the shaded area
14 distinctly	32 A and B together
15 continuously	33 unchanged
16 annual	34 track
17 per	35 gradually
18 kind	

정답

01 A가 1위이다	10 급격하게	19 교통	28 10년
02 3위를 하다	11 꾸준한	20 차이	29 ~보다 수가 더 많다
03 가장 큰 차이로	12 A할 가능성이 가장 크다	21 방식	30 여성
04 목적	13 꾸준한	22 A가 앞서고 있다	31 음영된 부분
05 계속 ~하다	14 명백히	23 뒤집다	32 A와 B 합쳐서
06 10개중 1개	15 꾸준히	24 꾸준히	33 변화가 없는
07 상대적으로	16 해마다의	25 증가하다	34 쫓아가다
08 근접하다	17 ~마다	26 ~에 있어서	35 점진적으로
09 특징	18 종류	27 널리	

778	
share	몫

779	
place second	2위를 하다

780	
return	되돌아가다

781	
approximately	대략

782	
over	~이상

783	
respond	응답하다

784	
ratio	비율

785	double	2배가 되다
786	on average	평균적으로
787	the given period	주어진 기간
788	twice	2배
789	the number one	1위의
790	overtake	추월하다
791	growth	성장

792	
the following year	다음 해

793	
yield	생산량

794	
grade	학년

795	
take up	차지하다

796	
prevalent	널리 퍼진

797	
triple	3배가 되다

798	
proven	확인된

799	select	선택하다
800	stay between 2 and 6%	2~6% 사이에 머무르다
801	overall	전반적으로
802	the third top	최상위 세 번째의
803	with the exception of A	A는 예외로 하고
804	monthly	매월
805	sector	부문

806	
among	~중에서

807	
male	남성

808	
closely	근접하여

809	
exceed	초과하다

810	
the number of A	A의 수

811	
a sharp drop	급격한 감소

812	
sharply	급격하게

☑ 다음 영단어의 뜻을 우리말로 쓰시오.

01 with the exception of A		19 return	
02 select		20 the number of A	
03 twice		21 take up	
04 the third top		22 monthly	
05 closely		23 stay between 2 and 6%	
06 proven		24 the given period	
07 grade		25 a sharp drop	
08 male		26 among	
09 ratio		27 the following year	
10 prevalent		28 approximately	
11 place second		29 sector	
12 overtake		30 share	
13 respond		31 the number one	
14 sharply		32 growth	
15 on average		33 triple	
16 over		34 yield	
17 overall		35 exceed	
18 double			

정답
01 A는 예외로 하고	10 널리 퍼진	19 되돌아가다	28 대략
02 선택하다	11 2위를 하다	20 A의 수	29 부문
03 2배	12 추월하다	21 차지하다	30 몫
04 최상위 세 번째의	13 응답하다	22 매월	31 1위의
05 근접하여	14 급격하게	23 2~6% 사이에 머무르다	32 성장
06 확인된	15 평균적으로	24 주어진 기간	33 3배가 되다
07 학년	16 ~이상	25 급격한 감소	34 생산량, 발전하다
08 남성	17 전반적으로	26 ~중에서	35 초과하다
09 비율	18 2배가 되다	27 다음 해	

Review Test

☑ 다음 영단어의 뜻을 우리말로 쓰시오.

01 grade		19 the third top	
02 stay between 2 and 6%		20 the following year	
03 overall		21 sharply	
04 exceed		22 yield	
05 respond		23 overtake	
06 triple		24 share	
07 on average		25 closely	
08 take up		26 double	
09 sector		27 select	
10 with the exception of A		28 place second	
11 ratio		29 monthly	
12 proven		30 twice	
13 a sharp drop		31 the number of A	
14 among		32 approximately	
15 the given period		33 prevalent	
16 growth		34 male	
17 the number one		35 return	
18 over			

정답

01 학년	10 A는 예외로 하고	19 최상위 세 번째의	28 2위를 하다
02 2~6% 사이에 머무르다	11 비율	20 다음 해	29 매월
03 전반적으로	12 확인된	21 급격하게	30 2배
04 초과하다	13 급격한 감소	22 생산량	31 A의 수
05 응답하다	14 ~중에서	23 추월하다	32 대략
06 3배가 되다	15 주어진 기간	24 몫	33 널리 퍼진
07 평균적으로	16 성장	25 근접하여	34 남성
08 차지하다	17 1위의	26 2배가 되다	35 되돌아가다
09 부문	18 ~이상	27 선택하다	

Review Test

☑ 다음 영단어의 뜻을 우리말로 쓰시오.

01 overall	_____	19 take up	_____
02 the number of A	_____	20 sharply	_____
03 approximately	_____	21 ratio	_____
04 respond	_____	22 twice	_____
05 the third top	_____	23 monthly	_____
06 grade	_____	24 overtake	_____
07 proven	_____	25 yield	_____
08 share	_____	26 return	_____
09 exceed	_____	27 with the exception of A	_____
10 stay between 2 and 6%	_____	28 the following year	_____
11 triple	_____	29 prevalent	_____
12 growth	_____	30 select	_____
13 double	_____	31 the given period	_____
14 among	_____	32 closely	_____
15 a sharp drop	_____	33 place second	_____
16 male	_____	34 the number one	_____
17 on average	_____	35 over	_____
18 sector	_____		

정답

01 전반적으로	10 2~6% 사이에 머무르다	19 차지하다	28 다음 해
02 A의 수	11 3배가 되다	20 급격하게	29 널리 퍼진
03 대략	12 성장	21 비율	30 선택하다
04 응답하다	13 2배가 되다	22 2배	31 주어진 기간
05 최상위 세 번째의	14 ~중에서	23 매월	32 근접하여
06 학년	15 급격한 감소	24 추월하다	33 2위를 하다
07 확인된	16 남성	25 생산량	34 1위의
08 몫	17 평균적으로	26 되돌아가다	35 ~이상
09 초과하다	18 부문	27 A는 예외로 하고	

813	
amount to	합계가 ~에 이르다

814	
top the list	1위를 차지하다

815	
two thirds	3분의 2

816	
divided into A	A로 나뉘어진

817	
stay at 20%	20%에 머무르다

818	
a marginal difference	근소한 차이

819	
past	지난

820		
thereafter		그 후에

821		
by gender		성별로

822		
the least		가장 적은

823		
hold		차지하다

824		
continual		꾸준한

825		
three times		3배

826		
commute		통근하다

827	
fall short of A	A에 미치지 못하다

828	
the most	가장 많은

829	
expenditure	지출

830	
, which	그리고 그것은(그것을)

831	
across	~에 걸쳐서

832	
survey	조사

833	
be true for/of A	A도 마찬가지다

834	as shown	보이는 것처럼
835	be projected to A	A할 것으로 예측되다
836	account for	차지하다
837	the latter	후자
838	nearly	거의
839	the 비교급, the 비교급	~하면 할수록, 더 ~하다
840	a bit	약간

841	
steeply	급격하게

842	
rank third	3위를 하다

843	
record	기록하다

844	
estimate	추정하다

845	
amount	양

846	
drop	감소하다

847	
otherwise	그렇지 않으면

Review Test

☑ 다음 영단어의 뜻을 우리말로 쓰시오.

01 steeply		19 be projected to A	
02 as shown		20 drop	
03 the latter		21 estimate	
04 commute		22 rank third	
05 fall short of A		23 divided into A	
06 amount		24 top the list	
07 past		25 two thirds	
08 a marginal difference		26 thereafter	
09 otherwise		27 , which	
10 record		28 be true for/of A	
11 continual		29 expenditure	
12 account for		30 the most	
13 by gender		31 stay at 20%	
14 hold		32 nearly	
15 three times		33 amount to	
16 across		34 survey	
17 the 비교급, the 비교급		35 a bit	
18 the least			

정답

01 급격하게	10 기록하다	19 A할 것으로 예측되다	28 A도 마찬가지다
02 보이는 것처럼	11 꾸준한	20 감소하다	29 지출
03 후자	12 차지하다	21 추정하다	30 가장 많은
04 통근하다	13 성별로	22 3위를 하다	31 20%에 머무르다
05 A에 미치지 못하다	14 차지하다	23 A로 나뉘어진	32 거의
06 양	15 3배	24 1위를 차지하다	33 합계가 ~에 이르다
07 지난	16 ~에 걸쳐서	25 3분의 2	34 조사
08 근소한 차이	17 ~하면 할수록, 더 ~하다	26 그 후에	35 약간
09 그렇지 않으면	18 가장 적은	27 그리고 그것은(그것을)	

Review Test

☑ 다음 영단어의 뜻을 우리말로 쓰시오.

01 stay at 20%		19 steeply	
02 a bit		20 a marginal difference	
03 divided into A		21 otherwise	
04 the latter		22 past	
05 by gender		23 expenditure	
06 the least		24 account for	
07 drop		25 the most	
08 , which		26 amount to	
09 hold		27 the 비교급, the 비교급	
10 across		28 two thirds	
11 be projected to A		29 fall short of A	
12 be true for/of A		30 thereafter	
13 top the list		31 commute	
14 nearly		32 estimate	
15 continual		33 record	
16 three times		34 survey	
17 as shown		35 rank third	
18 amount			

정답
01 20%에 머무르다	10 ~에 걸쳐서	19 급격하게	28 3분의 2
02 약간	11 A할 것으로 예측되다	20 근소한 차이	29 A에 미치지 못하다
03 A로 나뉘어진	12 A도 마찬가지다	21 그렇지 않으면	30 그 후에
04 후자	13 1위를 차지하다	22 지난	31 통근하다
05 성별로	14 거의	23 지출	32 추정하다
06 가장 적은	15 꾸준한	24 차지하다	33 기록하다
07 감소하다	16 3배	25 가장 많은	34 조사
08 그리고 그것은(그것을)	17 보이는 것처럼	26 합계가 ~에 이르다	35 3위를 하다
09 차지하다	18 양	27 ~하면 할수록, 더 ~하다	

Review Test

☑️ 다음 영단어의 뜻을 우리말로 쓰시오.

01 two thirds

02 a marginal difference

03 fall short of A

04 thereafter

05 stay at 20%

06 account for

07 steeply

08 the latter

09 otherwise

10 continual

11 the most

12 record

13 divided into A

14 be projected to A

15 , which

16 amount

17 rank third

18 survey

19 by gender

20 past

21 amount to

22 the least

23 the 비교급, the 비교급

24 as shown

25 top the list

26 across

27 three times

28 commute

29 nearly

30 drop

31 expenditure

32 hold

33 estimate

34 a bit

35 be true for/of A

정답
01 3분의 2	10 꾸준한	19 성별로	28 통근하다
02 근소한 차이	11 가장 많은	20 지난	29 거의
03 A에 미치지 못하다	12 기록하다	21 합계가 ~에 이르다	30 감소하다
04 그 후에	13 A로 나뉘어진	22 가장 적은	31 지출
05 20%에 머무르다	14 A할 것으로 예측되다	23 ~하면 할수록, 더 ~하다	32 차지하다
06 차지하다	15 그리고 그것은(그것을)	24 보이는 것처럼	33 추정하다
07 급격하게	16 양	25 1위를 차지하다	34 약간
08 후자	17 3위를 하다	26 ~에 걸쳐서	35 A도 마찬가지다
09 그렇지 않으면	18 조사	27 3배	

Premium Voca 예비고 필수어휘 편

발　행 | 2024년 05월 28일
저　자 | 영어중심
펴낸이 | 한건희
펴낸곳 | 주식회사 부크크
출판사등록 | 2014.07.15.(제2014-16호)
주　소 | 서울특별시 금천구 가산디지털1로 119 SK트윈타워 A동
　　　305호
전　화 | 1670-8316
이메일 | info@bookk.co.kr

ISBN | 979-11-410-8652-7

www.bookk.co.kr